目次

江戸川乱歩傑作選

二 銭銅貨

上

「あの泥棒が羨ましい」二人のあいだにこんな言葉がかわされるほど、そのころは窮迫していた。場末の貧弱な下駄屋の二階の、ただひと間しかない六畳に、一閑張りの破れ机を二つならべて、松村武とこの私とが、変な空想ばかりたくましくして、ゴロゴロしていたころのお話である。もうなにもかも行き詰まってしまって、動きの取れなかった二人は、ちょうどそのころ世間を騒がせていた、大泥棒の巧みなやり口を羨むような、さもしい心持になっていた。

その泥棒事件というのが、このお話の本筋に大関係を持っているので、ここにざっとそれをお話ししておくことにする。

芝区のさる大きな電機工場の職工給料日の出来事であった。十数名の賃銀計算係りが、五千人近い職工のタイム・カードから、それぞれ一カ月の賃銀を計算して、山と積まれた給料袋の中へ、当日銀行から引き出された、大トランクに一杯もあろうという、二十円、十円、五円などの紙幣を汗だくになって詰め込んでいるさなかに、事務所の玄関へ一人の紳士が訪れた。

受付の女が来意をたずねると、私は朝日新聞社の記者であるが、支配人にちょっとお目に

かかりたいという。そこで女が東京朝日新聞社社会部記者と肩書のある名刺を持って、支配人にこのことを通じた。幸いなことには、この支配人は新聞記者操縦法がうまいことを、ひとつの自慢にしている男であった。のみならず、新聞記者を相手に、ほらを吹いたり、自分の話が何々氏談などとして、新聞に載せられたりすることは、おとなげないとは思いながら、誰しも悪い気持はしないものである。社会部記者と称する男は、快く支配人の部屋へ請じられた。

大きな鼈甲縁の目がねをかけ、美しい口髭をはやし、気のきいた黒のモーニングに、流行の折鞄といういでたちのその男は、いかにも物慣れた調子で、支配人の前の椅子に腰をおろした。そしてシガレット・ケースから、高価なエジプトの紙巻煙草を取り出して、卓上の灰皿に添えられたマッチを手際よく擦ると、青味がかった煙を、支配人の鼻先へフッと吹き出した。

「貴下の職工待遇問題についての御意見を」とか、なんとか、新聞記者特有の、相手を呑んでかかったような、それでいて、どこか無邪気な、人懐っこいところのある調子で、その男はこう切り出した。そこで支配人は、労働問題について、多分は労資協調、温情主義というようなことを、大いに論じたわけであるが、それはこの話に関係がないから略するとして、約三十分ばかり支配人の室におったところの、その新聞記者が、支配人が一席弁じ終って、「ちょっと失敬」といって便所に立ったあいだに、姿を消してしまったのである。

支配人は、不作法なやつだくらいで、別に気にもとめないで、ちょうど昼食の時間だった

ので、食堂へと出掛けて行ったが、しばらくすると、近所の洋食屋から取ったビフテキかなんかを頬ばっていたところの支配人の前へ、会計主任の男が、顔色を変えて飛んできて、報告することには、

「賃銀支払いの金がなくなりました。とられました」

というのだ。驚いた支配人が、食事などはそのままにして、金のなくなったという現場へきて調べてみると、この突然の盗難の仔細は、だいたい次のように想像することができたのである。

ちょうどその当時、工場の事務室が改築中であったので、いつもならば、厳重に戸締りのできる特別の部屋で行なわれるはずの賃銀計算の仕事が、その日は、仮りに支配人室の隣の応接間で行なわれたのであるが、昼食の休憩時間に、どうした物の間違いか、その応接間が空になってしまったのである。事務員たちは、お互に誰か残ってくれるだろうというような考えで、一人残らず食堂へ行ってしまって、あとにはシナ鞄に充満した札束が、ドアには鍵もかからない部屋に、約半時間ほども、ほうり出されてあったのだ。そのすきに、何者かが忍び入って、大金を持ち去ったものにちがいない。それも、すでに給料袋に入れられた分や、細かい紙幣には手もつけないで、シナ鞄の中の二十円札と十円札の束だけを持ち去ったのである。損害高は約五万円であった。

いろいろ調べてみたが、結局、どうもさっきの新聞記者が怪しいということになった。新聞社へ電話をかけてみると、やっぱり、そういう男は本社員の中にはいないという返事だっ

た。そこで、警察へ電話をかけるやら、賃銀の支払いを延ばすわけにはいかぬので、銀行へ改めて二十円札と十円札の準備を頼むやら、大へんな騒ぎになったのである。

かの新聞記者と自称して、お人よしの支配人に無駄な議論をさせた男は、実は、当時、新聞が紳士盗賊という尊称をもって書き立てていたところの、有名な大泥棒であったのだ。

さて、所轄警察署の司法主任その他が臨検して調べてみると、手掛りというものがひとつもない。新聞社の名刺まで用意してくるほどの賊だから、なかなか一筋縄で行くやつではない。遺留品などあろうはずもない。ただひとつわかっていたことは、支配人の記憶に残っているその男の容貌風采であるが、それが甚だたよりないのである。というのは、服装などはむろん取りかえることができるし、支配人がこれこそ手掛りだと申し出たところの、鼈甲縁の目がねにしろ、口髭にしろ、考えてみれば、変装には最もよく使われる手段なのだから、これも当てにはならぬ。そこで、仕方がないので、めくら探しに、近所の車夫だとか、煙草屋のおかみさんだとか、露店商人などという連中に、かくかくの風采の男を見かけなかったか、若し見かけたらどの方角へ行ったかと尋ねまわる。むろん市内の各巡査派出所へも、この人相書きが廻る。つまり非常線が張られたわけであるが、なんの手ごたえもない。一日、二日、三日、あらゆる手段が尽された。各駅には見張りがつけられた。各府県の警察署へは依頼の電報が発せられた。こうして、一週間が過ぎさったけれども賊は挙がらない。もう絶望かと思われた。かの泥棒が、何か別の罪をでも犯して挙げられるのを待つよりほかはないかと思われた。工場の事務所からは、その筋の怠慢を責めるように、毎日毎日警察署へ電話がかか

った。署長は自分の罪ででもあるように頭を悩ました。

そうした絶望状態の中に、一人の同じ署に属する刑事が、市内の煙草屋の店を一軒ずつ丹念に歩きまわっていた。

市内には、舶来の煙草をひと通り備え付けているという煙草屋が、各区に、多いのは数十軒、少ない所でも十軒内外はあった。刑事はほとんどそれを廻りつくして、今は、山の手の牛込と、四谷の区内が残っているばかりであった。きょうはこの両区を廻ってみて、それで目的を果たさなかったら、もういよいよ絶望だと思った刑事は、富籤の当り番号を読むときのような、楽しみとも恐れともつかぬ感情をもって、テクテク歩いていた。時々交番の前で立ち止まっては、巡査に煙草屋の所在を聞きただしながら、テクテクと歩いていた。刑事の頭の中は FIGARO, FIGARO, FIGARO と、エジプト煙草の名前で一杯になっていた。ところが、牛込の神楽坂に一軒ある煙草屋を尋ねるつもりで、飯田橋の電車停留所から神楽坂下へ向かって、あの大通りを歩いていたときであった。刑事は、一軒の旅館の前で、フト立ち止まったのである。というのは、その旅館の前の、下水の蓋を兼ねた御影石の敷石の上に、よほど注意深い人でなければ目にとまらないような、ひとつの煙草の吸殻が落ちていた。そして、なんとそれが、刑事の探しまわっていたところのエジプト煙草と同じものだったのである。

さて、このひとつの煙草の吸殻から足がついて、さしもの紳士盗賊もついに獄裡の人となったのであるが、その煙草の吸殻から盗賊逮捕までの径路に、ちょっと探偵小説じみた興味

があるので、当時のある新聞には、続き物になって、そのときの何某刑事の手柄話が載せられたほどであるが――この私の記述も、実はその新聞記事に拠ったものである――私はここには、先を急ぐために、ごく簡単に結論だけしかお話ししていない暇がないことを残念に思う。読者も想像されたであろうように、この感心な刑事は、盗賊が工場の支配人の部屋に残して行ったところの、珍らしい煙草の吸殻から探偵の歩を進めたのである。そして、各区の大きな煙草屋をほとんど廻りつくしたが、たとえ同じ煙草を備えてあっても、エジプトの中でも比較的売行きのよくない、その FIGARO を最近に売ったという店はごく僅かで、それがことごとく、どこの誰それと、疑うまでもないような買い手に売られていたのである。ところがいよいよ最終という日になって、今もお話ししたように、偶然にも、飯田橋附近の一軒の旅館の前で、同じ吸殻を発見して、実は、あてずっぽうに、その旅館に探りを入れてみたのであるが、それがなんと僥倖にも、犯人逮捕の端緒となったのである。

そこで、いろいろ苦心の末、たとえば、その旅館に投宿していたその煙草の持ち主が、工場の支配人から聞いた人相とはまるで違っていたりして、だいぶ苦労をしたのであるが、結局、その男の部屋の火鉢の底から、犯行に用いたモーニングその他の服装だとか、鼈甲縁の目がねだとか、つけ髭だとかを発見して、逃がれぬ証拠によって、いわゆる紳士泥棒を逮捕することができたのである。

で、その泥棒が取り調べを受けて白状したところによると、犯行の当日――もちろん、その日は職工の給料日と知って訪問したのだが――支配人の留守のまに、隣の計算室にはいっ

て例の金を取ると、折鞄の中にただそれだけを入れておいたところの、レインコートとハンチングを取り出して、その代りに、鞄の中へは、盗んだ紙幣の一部分を入れて、目がねをはずし、口髭をとり、レインコートでモーニング姿を包み、中折れの代りにハンチングをかぶって、きたときとは別の出口から、何くわぬ顔をして逃げ出したのであった。あの五万円という紙幣を、どうして、誰にも疑われぬように、持ち出すことができたかという訊問に対して、紳士泥棒がニヤリと得意らしい笑いを浮かべて答えたことには、

「わたしどもは、からだじゅうが袋でできています。その証拠には、押収されたモーニングを調べてごらんなさい。ちょっと見ると普通のモーニングだが、実は手品使いの服のように、付けられるだけの隠し袋が付いているんです。五万円くらいの金を隠すのはわけはありません。シナ人の手品使いは、大きな、水のはいったどんぶり鉢でさえ、からだの中へ隠すではありませんか」

さて、この泥棒事件がこれだけでおしまいなら、別段の興味もないのであるが、ここにひとつ、普通の泥棒とちがった妙な点があった。そして、それが私のお話の本筋に、大いに関係があるわけなのである。というのは、この紳士泥棒は、盗んだ五万円の隠し場所について、一ことも白状しなかったのである。警察と、検事廷と、公判廷と、この三つの関所で、手を換え品を換えて責め問われても、彼はただ知らないの一点張りで通した。そしておしまいには、その僅か一週間ばかりのあいだに、使い果たしてしまったのだというような、でたらめをさえ言い出したのである。その筋としては、探偵の力によって、その金のありかを探し出

すほかはなかった。そして、ずいぶん探したらしいのであるが、いっこう見つからなかった。そこで、その紳士泥棒は、五万円隠匿のかどによって、窃盗犯としては可なり重い懲役に処せられたのである。

困ったのは被害者の工場である。工場としては、犯人よりは五万円を発見してほしかったのである。もちろん、警察の方でも、その金の捜索をやめたわけではないが、どうも手ぬるいような気がする。そこで、工場の当の責任者たる支配人は、その金を発見したものには、発見額の一割の賞を懸けるということを発表した。つまり五千円の懸賞である。

これからお話ししようとする、松村武と私自身とに関するちょっと興味のある物語は、この泥棒事件がこういうふうに発展しているときに起こったことなのである。

中

この話の冒頭にもちょっと述べたように、そのころ、松村武と私とは、場末の下駄屋の二階の六畳に、もうどうにもこうにも動きがとれなくなって、窮乏のドン底に沈んでいたのである。でも、あらゆるみじめさの中にも、まだしも幸運であったのは、ちょうど時候が春であったことだ。これは貧乏人だけにしかわからない、ひとつの秘密であるが。冬の終りから夏のはじめにかけて、貧乏人はだいぶ儲けるのである。いや、儲けたと感じるのである。というのは、寒いときだけ必要であった、羽織だとか、下着だとか、ひどいのになると、夜具、

火鉢の類に至るまで、質屋の蔵へ運ぶことができるからである。私どもも、そうした気候の恩恵に浴して、あすはどうなることか、月末の間代の支払いはどこから捻出するか、というような先の心配をのぞいては、先ずちょっと息をついたのである。そして、しばらくは遠慮しておった銭湯へも行けば、床屋へも行く、飯屋ではいつもの味噌汁と香の物の代りに、さしみで一合かなんかを奮発するといったあんばいであった。

ある日のこと、いい心持になって、銭湯から帰ってきた私が、傷だらけの毀れかかった一閑張りの机の前に、ドッカと坐ったときに、一人残っていた松村武が、妙な、一種の興奮したような顔つきをもって、私にこんなことを聞いたのである。

「君、この、僕の机の上に二銭銅貨をのせておいたのは君だろう。あれは、どこから持ってきたのだ」

「ああ、おれだよ。さっき煙草を買ったおつりさ」

「どこの煙草屋だ」

「飯屋の隣の、あの婆さんのいる不景気なうちさ」

「フーム、そうか」

と、どういうわけか、松村はひどく考えこんだのである。そして、なおも執拗にその二銭銅貨について訊ねるのであった。

「君、そのとき、君が煙草を買ったときだ、誰かほかにお客はいなかったかい」

「確か、いなかったようだ。そうだ。いるはずがない、そのときあの婆さんは居眠りをして

いたんだ」

この答えを聞いて、松村はなにか安心した様子であった。

「だが、あの煙草屋には、あの婆さんのほかに、どんな連中がいるんだろう。君は知らないかい」

「おれは、あの婆さんとは仲よしなんだ。あの不景気な仏頂面が、妙に気に入っているのでね。だから、おれは相当あの煙草屋については詳しいんだ。あそこには婆さんのほかに、婆さんよりはもっと不景気な爺さんがいるきりだ。しかし、君はそんなことを聞いてどうしようというのだ」

「まあいい。ちょっとわけがあるんだ。ところで君が詳しいというのなら、もう少しあの煙草屋のことを話さないか」

「ウン、話してもいい。爺さんと婆さんとのあいだに一人の娘がある。おれは一度か二度その娘を見かけたが、そう悪くないきりょうだぜ。それがなんでも、監獄の差入屋とかへ嫁入っているという話だ。その差入屋が相当に暮らしているので、その仕送りで、あの不景気な煙草屋も、つぶれないで、どうかこうかやっているのだと、いつか婆さんが話していたっけ……」

私が煙草屋に関する知識について話しはじめたときに、驚いたことには、それを話してくれと頼んでおきながら、もう聞きたくないといわぬばかりに、松村武が立ち上がったのである。そして、広くもない座敷を、隅から隅へ、ちょうど動物園の熊のように、ノソリノソリ

と歩きはじめたのである。私どもは、二人とも、日頃からずいぶん気まぐれなほうであった。話のあいだに突然立ち上がるなどは、そう珍らしいことでもなかった。けれども、この場合の松村の態度は、私をして沈黙せしめたほども、変っていたのである。松村はそうして、部屋の中をあっちへ行ったり、こっちへ行ったり、約三十分くらい歩きまわっていた。私はだまって、一種の興味を持って、それを眺めていた。その光景は、若し傍観者があって、これを見たら、おそろしく気ちがいじみたものであったにちがいないのである。

そうこうするうちに、私は腹がへってきたのである。ちょうど夕食時分ではあったし、湯にはいった私は余計に腹がへったような気がしたのである。そこで、まだ気ちがいじみた歩行を続けている松村に、飯屋に行かぬかと勧めてみたところが、「すまないが、君一人で行ってくれ」という返事だ。仕方なく、私はその通りにした。

さて、満腹した私が、飯屋から帰ってくると、なんと珍らしいことには、松村が按摩を呼んで、もませていたではないか。以前は私どものお馴染であった若い盲唖学校の生徒が、松村の肩につかまって、しきりと何か、持ち前のおしゃべりをやっているのであった。

「君、贅沢だと思っちゃいけない。これにはわけがあるんだ。まあ、しばらく黙って見ていてくれ、そのうちにわかるから」

松村は、私の機先を制して、非難を予防するようにいった。きのう、質屋の番頭を説きつけて、むしろ強奪して、やっと手に入れた二十円なにがしの共有財産の寿命が、按摩賃六十銭だけ縮められることは、この際、贅沢にちがいなかったからである。

私は、これらの、ただならぬ松村の態度について、或る言い知れぬ興味を覚えた。そこで、私は自分の机の前に坐って、古本屋で買ってきた講談本か何かを、読みふけっている様子をした。そして、実は松村の挙動をソッと盗み見ていたのである。

按摩が帰ってしまうと、松村は彼の机の前に坐って、何か紙きれに書いたものを読んでいるようであったが、やがて彼は懐中からもう一枚の紙切れを取り出して、机の上に置いた。それは、ごく薄い二寸四方ほどの小さな紙切れで、細かい文字が一面に書いてあった。彼はこの二枚の紙片を、熱心に比較研究しているようであった。そして、鉛筆で新聞紙の余白に、何か書いては消し、書いては消ししていた。そんなことをしているあいだに、電灯がついたり、表通りを豆腐屋のラッパが通り過ぎたり、縁日にでも行くらしい人通りが、しばらく続いたり、それが途絶えると、シナ蕎麦屋の哀れげなチャルメラの音が聞こえたりして、いつの間にか夜が更けたのである。それでも、松村は食事さえ忘れて、この妙な仕事に没頭していた。私はだまって自分の床を敷いて、ゴロリと横になると、退屈にも、一度読んだ講談本を、さらに読み返しでもするほかはなかったのである。

「君、東京地図はなかったかしら」

突然、松村がこういって、私の方を振り向いた。

「さア、そんなものはないだろう。下のおかみさんにでも聞いてみたらどうだ」

「ウン、そうだね」

彼はすぐに立ち上がって、ギシギシという梯子段を、下へ降りて行ったが、やがて、一枚

の折り目から破れそうになった東京地図を借りてきた。そして、また机の前に坐ると、熱心な研究をつづけるのであった。私はますます募る好奇心をもって、彼の様子を眺めていた。下の時計が九時を打った。松村は、長いあいだの研究が一段落を告げたと見えて、机の前から立ち上がって、私の枕もとへ坐った。そして少し言いにくそうに、

「君、ちょっと、十円ばかり出してくれないか」

というのだ。私は松村のこの不思議な挙動については、読者にはまだ明かしてないところの、深い興味を持っていた。それゆえ、彼に十円という、当時の私どもに取っては、全財産の半分であったところの大金を与えることに、少しも異議を唱えなかった。

松村は、私から十円札を受け取ると、古袷一枚に、皺くちゃのハンチングといういでたちで、何もいわずに、プイとどこかへ出て行った。

一人取り残された私は、松村のその後の行動についていろいろ想像をめぐらした。そして独りほくそ笑んでいるうちに、いつか、ついうとうとと夢路に入った。しばらくして松村の帰ったのを、夢うつつに覚えていたが、それからは、何も知らずに、グッスリと朝まで寝込んでしまったのである。

ずいぶん朝寝坊の私は、十時頃でもあったろうか、眼を醒ましてみると、枕もとに妙なものが立っているのに驚かされた。というのは、そこには縞の着物に、角帯を締めて、紺の前垂れをつけた一人の商人風の男が、ちょっとした風呂敷包みを背負って立っていたのである。

「なにを妙な顔をしているんだ。おれだよ」

驚いたことには、その男が、松村武の声をもって、こういったのである。よくよく見ると、それはいかにも松村にちがいないのだが、服装がまるで変っていたので、私はしばらくのあいだ、何がなんだか、わけがわからなかったのである。

「どうしたんだ。風呂敷包みなんか背負って。それに、そのなりはなんだ。おれはどこの番頭さんかと思った」

「シッ、シッ、大きな声だなあ」松村は両手で抑えつけるような恰好をして、ささやくような小声で、「大へんなお土産を持ってきたよ」というのである。

「君はこんなに早く、どこかへ行ってきたのかい」

私も、彼の変な挙動につられて、思わず声を低くして聞き返した。すると、松村は、抑えつけても抑えつけても、溢れ出すようなニタニタ笑いを、顔一杯にみなぎらせながら、彼の口を私の耳のそばまで持ってきて、前よりはいっそう低い、あるかなきかの声で、こういったものである。

「この風呂敷包みの中には、君、五万円という金がはいっているのだよ」

下

読者もすでに想像されたであろうように、松村武は、問題の紳士泥棒の隠しておいた五万円を、どこからか持ってきたのであった。それは、かの電機工場へ持参すれば、五千円の懸

賞金にあずかることのできる五万円であった。だが、松村はそうしないつもりだといった。そして、その理由を次のように説明した。

彼にいわせると、その金をばか正直に届け出るのは、愚かなことであるばかりでなく、同時に、非常に危険なことであるというのであった。その筋の専門の刑事たちが、約一カ月もかかって探しまわっても、発見されなかったこの金である。たとえこのまま、われわれが頂戴しておいたところで、誰が疑うもんか。われわれにしたって、五千円より五万円の方が有難いではないか。それよりも恐ろしいのは、あいつ、紳士泥棒の復讐である。これが恐ろしい。刑期の延びるのを犠牲にしてまで隠しておいたこの金を、横取りされたと知ったら、あいつ、あの悪事にかけては天才といってもよいところのあいつが、見逃しておこうはずがない——松村はむしろ泥棒を畏敬しているような口ぶりであった——このまま黙っておってさえあぶないのに、これを持ち主に届けて、懸賞金を貰いなどしようものなら、すぐ松村武の名が新聞に出る。それは、わざわざ、あいつに、かたきのありかを教えるようなものではないか、というのである。

「だが、少なくとも現在においては、おれはあいつに打ち勝ったのだ。え、君、あの天才泥棒に打ち勝ったのだ。この際、五万円もむろん有難いが、それよりも、おれはこの勝利の快感でたまらないんだ。おれの頭はいい、少なくとも貴公よりはいいということを認めてくれ。おれをこの大発見に導いてくれたものは、きのう君がおれの机の上にのせておいた、煙草のつり銭の二銭銅貨なんだ。あの二銭銅貨のちょっとした点について、君が気づかないでおれ

が気づいたということはだ、そして、たった一枚の二銭銅貨から、五万円という金を、え、君、二銭の二百五十万倍であるところの五万円という金を探しだしたのは、これはなんだ。少なくとも、君の頭よりは、おれの頭の方がすぐれているということじゃないかね」

二人の多少知識的な青年が、ひと間のうちに生活していれば、そこに、頭のよさについての競争が行なわれるのは、至極あたり前のことであった。松村武と私とは、その日ごろ、暇にまかせて、よく議論を戦わしたものであった。夢中になってしゃべっているうちに、いつの間にか夜が明けてしまうようなことも珍らしくなかった。そして、松村も私も互に譲らず、「おれの方が頭がいい」ことを主張していたのである。そこで、松村がこの手柄——それはいかにも大きな手柄であった——をもって、われわれの頭の優劣を証拠立てようとしたわけである。

「わかった、わかった。威張るのは抜きにして、どうしてその金を手に入れたか、その筋道を話してみろ」

「まあ急ぐな。おれは、そんなことよりも、五万円のつかいみちについて考えたいと思っているんだ。だが、君の好奇心を充たすために、ちょっと、簡単に苦心談をやるかな」

しかし、それは決して私の好奇心を充たすためばかりではなくて、むしろ彼自身の名誉心を満足させるためであったことはいうまでもない。それはともかく、彼は次のように、いわゆる苦心談を語り出したのである。私は、それを、心安だてに、蒲団の中から、得意そうに動く彼の顎のあたりを見上げて、聞いていた。

「おれは、きのう君が湯へ行ったあとで、あの二銭銅貨をもてあそんでいるうちに、妙なことには、銅貨のまわりに一本の筋がついているのを発見したんだ。こいつはおかしいと思って、調べてみると、なんと驚いたことには、あの銅貨が二つに割れたんだ。見たまえ、これだ」

彼は、机の引出しから、その二銭銅貨を取り出して、ちょうど練り薬の容器をあけるように、ネジを廻しながら、上下にひらいた。

「そら、ね、中が空虚になっている。銅貨で作った何かの容器なんだ。なんと精巧な細工じゃないか。ちょっと見たんじゃ、普通の二銭銅貨とちっとも変りがないからね。これを見て、おれは思い当ったことがあるんだ。おれはいつか牢破りの囚人が用いるという鋸の話を聞いたことがある。それは懐中時計のゼンマイに歯をつけた、小人島の帯鋸みたようなものを、二枚の銅貨を擦りへらして作った容器の中へ入れたもので、これさえあれば、どんな厳重な牢屋の鉄の棒でも、なんなく切り破って脱牢するんだそうだ。なんでも元は外国の泥棒から伝わったものだそうだがね。そこでおれは、この二銭銅貨も、そうした泥棒の手から、どうかしてまぎれ出したものだろうと想像したんだ。だが、妙なことはそればかりじゃなかった。というのは、おれの好奇心を、二銭銅貨そのものよりも、もっと挑発したところの、一枚の紙片がその中から出てきたんだ。それはこれだ」

それは、ゆうべ松村が一生懸命に研究していた、あの薄い小さな紙片であった。その二寸四方ほどの日本紙には、細かい字で左のような、わけのわからぬものが書きつけてあった。

陀、無弥仏、南無弥仏、阿陀仏、
南無阿陀、阿弥陀、無陀、
南無陀仏、阿弥陀、無陀、陀、
南無陀仏、南無仏、陀、無阿弥陀、
無陀、南仏、南陀、無弥、
無阿弥陀仏、南無阿陀、阿弥、
無阿弥、南陀仏、南阿弥陀、阿陀、
南弥、南無弥仏、無阿弥陀、
南無弥陀、南弥、南無弥仏、
無阿弥陀、南無陀、南無阿、阿陀仏、
無阿弥、南阿、南阿仏、陀、南阿陀、
南無、無弥仏、南弥仏、阿弥、
南無陀仏、阿弥陀、無陀、
南無阿弥陀、阿陀仏、

「この坊主の寝言みたいなものは、なんだと思う。おれは最初は、いたずら書きだと思った。前非を悔いた泥棒かなんかが、罪亡ぼしに南無阿弥陀仏をたくさん並べて書いたのかと思った。そして、牢破りの道具の代りに銅貨の中へ入れておいたのじゃないかと思った。が、それにしては、南無阿弥陀仏と続けて書いてないのがおかしい。南無陀とか、無弥仏とか、どれも南無阿弥陀仏の六字の範囲内ではあるが、完全に書いたのはひとつもない。一字きりのやつもあれば、四字五字のやつもある。おれは、こいつはただのいたずら書きではないと感づいた。ちょうどそのとき、君が湯屋から帰ってきた足音がしたんだ。おれは急いで、二銭銅貨とこの紙片を隠した。どうして隠したというのか。おれにもはっきりわからないが、たぶんこの秘密を独占したかったのだろう。そしてすべてが明らかになってから君に見せて、

自慢したかったのだろう。ところが、君が梯子段を上がっているあいだに、おれの頭に、ハッとするようなすばらしい考えが閃いたんだ。

　というのは、例の紳士泥棒のことだ。五万円の紙幣をどこへ隠したのか知らないが、まさか、刑期が終るまでそのままでいようとは、あいつだって考えないだろう。そこで、あいつには、あの金を保管させるところの手下乃至は相棒といったようなものがあるにちがいない。いま仮りにだ、あいつが不意の捕縛のために五万円の隠し場所を相棒に知らせる暇がなかったとしたらどうだ。あいつとしては、未決監にいるあいだに、何かの方法でそのなかまに通信するほかはないのだ。このえたいのしれない紙片が、若しやその通信文であったら……こういう考えがおれの頭に閃いたんだ。むろん空想さ。だが、ちょっと甘い空想だからね。そこで、君に二銭銅貨の出所についてあんな質問をしたわけだ。ところが君は、煙草屋の娘が監獄の差入屋へ嫁入っているというではないか。未決監にいる泥棒が外部と通信しようとすれば、差入屋を媒介者にするのが最も容易だ。そして、若しその目論見が何かの都合で手違いになったとしたら、その通信は差入屋の手に残っているはずだ。それが、その家の女房によって親類の家に運ばれないと、どうして言えよう。さア、おれは夢中になってしまった。

　さて、若しこの紙片の無意味な文字がひとつの暗号文であるとしたら、それを解くキイはなんだろう。おれはこの部屋の中を歩きまわって考えた。可なりむずかしい、全部拾ってみても、南無阿弥陀仏の六字と読点だけしかない。この七つの記号をもってどういう文句が綴れるだろう。おれは暗号文については、以前にちょっと研究したことがあるんだ。シャーロ

ック・ホームズじゃないが、百六十種くらいの暗号の書き方はおれだって知っているんだ。で、おれは、おのれの知っている限りの暗号記法を、ひとつひとつ頭に浮かべてみた。そして、この紙切れのやつに似ているのを探した。ずいぶん手間取った。確か、そのとき君が飯屋へ行くことを勧めたっけ。おれはそれをことわって一生懸命考えた。で、とうとう少しは似た点があると思うのを二つだけ発見した。そのひとつはベイコンの考案した two letters 暗号法というやつで、それはaとbとのたった二字のいろいろな組み合わせで、どんな文句でも綴ることができるのだ。たとえば fly という言葉を現わすためには aabab, aabba, ababa. と綴るといった調子のものだ。もひとつは、チャールズ一世の王朝時代に、政治上の秘密文書に盛んに用いられたやつで、アルファベットの代りに、ひと組の数字を用いる方法だ。たとえば……」

松村は机の隅に紙片をのべて、左のようなものを書いた。

A　B　C　D……
1111　1112　1121　1211……

「つまりAの代りには一千百十一を置き、Bの代りには一千百十二を置くといったふうのやり方だ。おれは、この暗号も、それらの例と同じように、いろは四十八字を南無阿弥陀仏をいろいろに組み合わせて置き換えたものだろうと想像した。さて、こいつを解く方法だが、これが英語かフランス語なら、ポーの Gold bug にあるようにeを探しさえすれば訳はないんだが、困ったことに、こいつは日本語にちがいないんだ。念のためにちょっとポー式の

陀	南 無陀 仏	南 無 仏	陀	弥 無陀 阿	無陀	南 仏	南 陀	弥 無	弥 無陀 阿仏	弥	南 陀 阿	弥 無 阿	南 陀 仏	南弥 陀 阿
濁音符	ジ	キ	濁音符	ド	ー	カ	ラ	オ	モ	チ	ヤ	ノ	サ	ツ

陀 阿仏	弥 無 阿	南 阿	南 阿仏	陀	南 陀 阿	南 無	弥 無 仏	南弥 仏	弥 阿	弥	弥 無陀 仏	無陀	南弥 無陀 阿	陀 阿仏
ン	ノ	ナ	ハ	濁音符	ダ	イ	コ	ク	ヤ	シ	ヨ	ー	テ	ン

ディシファリングをやってみたが、少しも解けない。おれはここでハタと行き詰まってしまった。六字の組み合わせ、六字の組み合わせ、おれはそればかり考えて、また部屋を歩きまわった。おれは六字という点に、何か暗示がないかと考えた。そして六つの数でできているものを思い出してみた。

　めったやたらに六という字のつくものを並べているうちに、ふと、講談本で覚えたところの真田（さなだ）幸村（ゆきむら）の旗印の六連銭を思い浮かべた。そんなものが暗号になんの関係もあるはずはないのだが、どういうわけか「六連銭」と、口の中でつぶやいた。するとするとだ。インスピレーションのように、おれの記憶から飛び出したものがある。それは、六連銭をそのまま縮小したような形をしている盲人の使う点字であった。おれは思わず「うまい」と叫んだよ。だって、なにしろ五万円の問題だからなあ。おれは点字について詳しくは知らなかっ

濁音符	ゴ	ケ	ン	チ	ヨ	一	シ	ヨ	一
陀	弥無仏	南弥無仏	陀阿仏	弥	弥陀無阿	無陀	弥	弥陀無仏	無陀
⠐	⠪	⠫	⠴	⠈	⠞	⠒	⠈	⠺	⠒

ジ	ウ	ケ	ト	レ	ウ	ケ	ト	リ	ニ
陀阿	南弥	南弥無仏	弥陀無阿	南弥無陀	南弥	南弥無仏	弥陀無阿	南無陀	南無阿
⠔	⠉	⠫	⠞	⠛	⠉	⠫	⠞	⠓	⠇

たが、六つの点の組み合わせということだけは記憶していた。そこで、さっそく按摩（あんま）を呼んできて伝授にあずかったというわけだ。これが按摩の教えてくれた点字のいろはだ」

そういって松村は、机の引出しから一枚の紙片を取り出した。それには、点字の五十音、濁音符、半濁音符、拗音（ようおん）符、長音符、数字などが、ズッと並べて書いてあった。

「今、南無阿弥陀仏を、左からはじめて三字ずつ二行に並べれば、この点字と同じ配列になる。南無阿弥陀仏の一字ずつが、点字のおのおのの一点に符合するわけだ。そうすれば、点字のアは南、イは南無と、いうぐあいに当てはめることができる。この調子で解けばいいのだ。そこで、これは、おれがゆうべこの暗号を解いた結果だがね。いちばん上の行が原文の南無阿弥陀仏を点字と同じ配列にしたもの、まん中の行がそれに符合する点字、そしていちばん下の行が、それを翻訳したものだ」

こういって、松村はまたもや図に示したような紙片を取り出したのである。

「ゴケンチヨーシヨージキドーカラオモチヤノサツヲウケトレウケトリニンノナハダイコクヤシヨーテン。つまり、五軒町の正直堂からおもちゃの紙幣を受け取れ、受取人の名は大黒屋商店というのだ。意味はよくわかる。だが、なんのためにおもちゃの紙幣なんかを受け取るのだろう。そこでおれはまた考えさせられた。しかし、この謎は割合い簡単に解くことができた。そして、おれはつくづくあの紳士泥棒の、頭がよくって敏捷で、なおその上に小説家のようなウイットを持っていることに感心してしまった。え、君、おもちゃの紙幣とはすてきじゃないか。

おれはこう想像したんだ。そして、それが幸いにもことごとく的中したわけだがね。紳士泥棒は、万一の場合をおもんぱかって、盗んだ金の最も安全な隠し場所を、あらかじめ用意しておいたにちがいないんだ。さて世の中にいちばん安全な隠し方は、隠さないことだ。衆人の目の前に曝しておいて、しかも誰もがそれに気づかないというような隠し方が最も安全なんだ。恐るべきあいつは、この点に気づいたんだ。と想像するんだがね。で、おもちゃの紙幣という巧妙なトリックを考え出した。おれは、この正直堂というのは、たぶんおもちゃの紙幣なんかを印刷する店だと想像した。——これも当っていたがね。——そこへ、あいつは大黒屋商店という名で、あらかじめおもちゃの紙幣を注文しておいたんだ。

近頃、本物と寸分違わないようなおもちゃの紙幣が、花柳界などで流行しているそうだ。それは誰かから聞いたっけ。ああ、そうだ。君がいつか話したんだ。ビックリ函だとか、本物とちっとも違わない泥で作った菓子や果物だとか、蛇のおもちゃだとか、ああしたものと

同じように、女の子をびっくりさせて喜ぶ粋人のおもちゃだといってね。だから、あいつが本物と同じ大きさの紙幣を注文したところで、ちっとも疑いを受けるはずはないんだ。そうしておいて、あいつは、本物の紙幣をうまく盗み出すと、たぶんその印刷屋へ忍び込んで、自分の注文したおもちゃの紙幣と擦り換えておいたんだ。そうすれば、注文主が受け取りに行くまでは、五万円という天下通用の紙幣が、おもちゃとして、安全に印刷屋の物置に残っているわけだからね。

これは単におれの想像かもしれない。だが、ずいぶん可能性のある想像だ。おれはとにかく当ってみようと決心した。地図で五軒町という町を探すと、神田区内にあることがわかった。そこでいよいよおもちゃの紙幣を受け取りに行くのだが、こいつがちょっとむずかしい。というのは、このおれが受け取りに行ったという痕跡を、少しだって残してはならないんだ。もしそれがわかろうものなら、あの恐ろしい悪人がどんな復讐をするか、思っただけでも、気の弱いおれはゾッとするからね。とにかく、できるだけおれでないように見せなければいけない。そういうわけで、あんな変装をしたんだ。おれはあの十円で、頭の先から足の先まで身なりを変えた。これを見たまえ、これなんかちょっといい思いつきだろう」

そういって、松村はそのよく揃った前歯を出して見せた。そこには、私がさきほどから気づいていたところの、一本の金歯が光っていた。彼は得意そうに、指の先でそれをはずして、私の目の前へつき出した。

「これは夜店で売っている、ブリキにメッキしたやつだ。ただ歯の上に冠せておくだけの代

物さ。わずか二十銭のブリキのかけらが大した役に立つからね。金歯というやつはひどく人の注意を惹くものだ。だから、後日おれを探すやつがあるとしたら、先ずこの金歯を目印にするだろうじゃないか。

これだけの用意ができると、おれはけさ早く五軒町へ出掛けた。ひとつ心配だったのはおもちゃの紙幣の代金のことだった。泥棒のやつ、きっと、転売なんかされることを恐れて、前金で支払っておいただろうとは思ったが、若しまだだったら、少なくとも二、三十円は入用だからね。あいにくわれわれにはそんな金の持ち合わせがない。なあに、なんとかごまかせばいいと高をくくって出掛けた。うまいぐあいに、印刷屋は金のことなんか一こともいわないで、品物を渡してくれたよ。かようにして、まんまと首尾よく五万円を横取りしたわけさ。……さてそのつかいみちだ。どうだ何か考えはないかね」

松村が、これほど興奮して、これほど雄弁にしゃべったことは珍らしい。私はつくづく五万円という金の偉力に驚嘆した。私はその都度、形容する煩を避けたが、松村がこの苦心談をしているあいだの嬉しそうな顔というものは、まったく見ものであった。彼ははしたなく喜ぶ顔を見せまいとして、大いに努力しておったようであるが、努めても、努めても、腹の底から込み上げてくる、なんともいえぬ嬉しそうな笑顔を隠すことができなかった。話のあいだあいだにニヤリと洩らす、その形容のしようもない、気ちがいのような笑いを見ていると、なんだか恐ろしくなってきた。昔千両の富くじに当たって発狂した貧乏人があったという話もあるのだから、松村が五万円に狂喜するのは決して無理ではなかった。

私はこの喜びがいつまでも続けかしと願った。松村のためにそれを願った。だが、私には、どうすることもできぬひとつの事実があった。止めようにも止めることのできない笑いが爆発した。私は笑うんじゃないと自分自身を叱りつけたけれども、私の中の小さないたずら好きの悪魔が、そんなことにはへこたれないで私をくすぐった。私は一段と高い声で、最もおかしい笑劇を見ている人のように笑った。松村はあっけにとられて、笑いころげる私を見ていた。そしてちょっと変なものにぶっつかったような顔をして言った。

「君、どうしたんだ」

私はやっと笑いを噛み殺してそれに答えた。

「君の想像力は実にすばらしい。よくそれだけの大仕事をやった。おれはきっと今までの数倍も君の頭を尊敬するようになるだろう。なるほど君のいうように、頭のよさでは敵わない。だが、君は、現実というものがそれほどロマンチックだと信じているのかい」

松村は返事もしないで、一種異様の表情をもって私を見つめた。

「言いかえれば、君は、あの紳士泥棒にそれほどのウイットがあると思うのかい。君の想像は、小説としては実に申し分がないことを認める。けれども世の中は小説よりはもっと現実的だからね。そして、若し小説について論じるのなら、おれは少し君の注意を惹きたい点がある。それは、この暗号文には、もっとほかの解き方はないかということだ。君の翻訳したものを、もう一度翻訳する可能性はないかということだ。たとえばだ、この文句を八字ずつ飛ばして読むというようなことはできないことだろうか」

私はそういって、松村の書いた暗号の翻訳文に左のような印をつけた。

○　　　　　　　○　　　　　　　○　　　　　　　○　　　　　　　○
ゴケンチヨーシヨージキドーカラオモチヤノサツヲウケトレウケトリニンノナハダイコクヤ
○
シヨーテン

「ゴジヨウダン。君、この『御冗談』というのはなんだろう。エ、これが偶然だろうか。誰かのいたずらだという意味ではないだろうか」

松村は物をもいわず立ち上がった。そして五万円の札束だと信じきっているところの、かの風呂敷包みを私の前へ持ってきた。

「だが、この事実をどうする。五万円という金は、小説の中からは生れないぞ」

彼の声には、果たし合いをするときのような真剣さがこもっていた。私は恐ろしくなった。そして、私のちょっとしたいたずらの、予想外に大きな効果を、後悔しないではいられなかった。

「おれは、君に対して実に済まぬことをした。どうか許してくれ。君がそんなに大切にして持ってきたのは、やはりおもちゃの紙幣なんだ。まあそれをひらいてよく調べてみたまえ」

松村は、ちょうど闇の中で物を探るような、一種異様の手つきで――それを見て、私はますます気の毒になった――長いあいだかかって風呂敷包みを解いた。そこには、新聞紙で丁寧に包んだ二つの四角な包みがあった。そのうちのひとつは新聞紙が破れて中味が現われて

いた。

「おれは途中でこれをひらいて、この目で見たんだ」

松村は喉につかえたような声でいって、なおも新聞紙をすっかり取り去った。それは、いかにも真にせまったにせ物であった。ちょっと見たのでは、すべての点が本物であった。けれども、よく見ると、それらの紙幣の表面には、圓という字の代りに團という字が、大きく印刷されてあった。十圓、二十圓ではなくて、十團、二十團であった。松村はそれを信ぜぬように、幾度も幾度も見直していた。そうしているうちに、彼の顔からは、あの笑いの影がすっかり消え去ってしまった。そして、あとには深い深い沈黙が残った。私は済まぬという気持で一杯であった。私は、私のやり過ぎたいたずらについて説明した。けれども、松村はそれを聞こうともしなかった。その日一日、おしのようにだまり込んでいた。

これで、このお話はおしまいである。けれども読者諸君の好奇心を充たすために、私のいたずらについて一こと説明しておかねばならぬ。正直堂という印刷屋は実は私の遠い親戚であった。私は或る日、せっぱ詰まった苦しまぎれに、そのふだんは不義理を重ねているところの親戚のことを思い出した。「いくらでも金の都合がつけば」と思って、進まぬながら久し振りでそこを訪問した。――むろんこのことについては松村は少しも知らなかった。――借金の方は予想通り失敗であったが、その時はからずも、あの本物と少しも違わないような、その時は印刷中であったところのおもちゃの紙幣を見たのである。そしてそれが大黒

屋という長年の御得意先の注文品だということを聞いたのである。

私はこの発見を、われわれの毎日の話柄となっていた、あの紳士泥棒の一件と結びつけて、ひと芝居打ってみようと、くだらぬいたずらを思いついたのであった。それは、私も松村と同様に、頭のよさについて、私の優越を示すような材料が摑みたいと、日頃から熱望していたからでもあった。

あのぎこちない暗号文は、もちろん私の作ったものであった。しかし、私は松村のように外国の暗号史に通じていたわけではない。ただちょっとした思いつきにすぎなかったのだ。煙草屋の娘が差入屋へ嫁いでいるというようなことも、やはりでたらめであった。第一、その煙草屋に娘があるかどうかさえ怪しかった。ただ、このお芝居で、私の最も危ぶんだのは、それらのドラマチックな方面ではなくて、最も現実的な、しかし全体から見ては極めて些細な、少し滑稽味を帯びた、ひとつの点であった。それは私が見たところのあの紙幣が、松村が受け取りに行くまで、配達されないで、印刷屋に残っているかどうかということであった。

おもちゃの代金については、私は少しも心配しなかった。私の親戚と大黒屋とは延べ取り引であったし、その上もっといいことは、正直堂が極めて原始的な、ルーズな商売のやり方をしていたことで、松村は別段、大黒屋の主人の受取証を持参しないでも、失敗するはずはなかったからである。

最後にあのトリックの出発点となった二銭銅貨については、私はここに詳しい説明を避けねばならぬことを残念に思う。若し、私がへまなことを書いては、後日、あの品を私にくれ

た或る人が、とんだ迷惑をこうむるかもしれないからである。読者は、私が偶然それを所持していたと思ってくだされればよいのである。

二癡人

二人は湯からあがって、一局囲んだあとを煙草にして、渋い煎茶をすすりながら、いつものようにポツリポツリと世間話を取りかわしていた。おだやかな冬の日光が障子いっぱいにひろがって、八畳の座敷をほかほかと暖めていた。大きな桐の火鉢には鉄瓶が眠けをさそうような音をたててたぎっていた。夢のようにのどかな冬の温泉場の午後であった。

無意味な世間話が、いつの間にか懐旧談にはいって行った。客の斎藤氏は青島役の実戦談を語りはじめていた。部屋のあるじの井原氏は火鉢に軽く手をかざしながら、だまってその血腥い話に聞き入っていた。かすかに鶯の遠音が、話の合の手のように聞こえてきたりした。昔を語るにふさわしい周囲の情景だった。

斎藤氏の見るも無慙に傷ついた顔面は、そうした武勇伝の話し手としては至極似つかわしかった。彼は砲弾の破片に打たれてできたという、その右半面の引っつりを指さしながら、当時の有様を手にとるように物語るのだった。そのほかにも、からだじゅうに数カ所の刀傷があり、それが冬になると痛むので、こうして湯治にくるのだといって、肌をぬいでその古傷を見せたりした。

「これで、私も若い時分には、それ相当の野心を持っていたんですがね。こういう姿になっちゃおしまいですよ」

斎藤氏はこういって長い実戦談の結末をつけた。

井原氏は、話の余韻でも味わうようにしばらくだまっていた。

「この男は戦争のお蔭で一生台無しにしてしまった。お互いに癈人なんだ。が、この男はまだ名誉という気休めがある。しかしおれには……」

井原氏はまたしても心の古傷に触れてヒヤリとした。そして肉体の古傷に悩んでいる斎藤氏などは、まだまだ仕合わせだと思った。

「こんどはひとつ私の懺悔話を聞いていただきましょうか。勇ましい戦争のお話のあとで、少し陰気すぎるかも知れませんが」

お茶を入れかえて一服すると、井原氏はいかにも意気ごんだようにこんなことをいった。

「ぜひ伺いたいもんですね」

斎藤氏は即座に答えた。そしてなにごとかを待ち構えるようにチラと井原氏の方を見たが、すぐ、さりげなく眼を伏せた。

井原氏はその瞬間、オヤッと思った。井原氏は今チラと彼の方を見た斎藤氏の表情に、どこか見覚えがあるような気がしたのだった。彼は斎藤氏と初対面の時から――といっても十日ばかり以前のことだが――何かしら、二人のあいだに前世の約束とでもいったふうのひっかかりがあるような気がしていた。そして、日がたつにつれて、だんだんその感じが深くなって行った。でなければ、宿も遠い、身分も違う二人が、わずか数日のあいだにこんなに親しくなるはずがないと井原氏は思った。

「どうも不思議だ。この男の顔は確かにどこかで見たことがある」しかしどう考えてみても思い出せなかった。

「ひょっとしたら、この男とおれとは、ずっとずっと昔の、たとえばもの心のつかぬ子供の時分の、遊び友だちででもあったのではあるまいか」そんなふうに思えば、そうとも考えられるのだった。

「いや、さぞかし面白(おもしろ)いお話が伺えることでしょう。そういえば、きょうはなんだか昔を思い出すような日よりではありませんか」

斎藤氏はうながすように言った。

井原氏は恥かしい自分の身の上を、これまで人に話したことはなかった。むしろできるだけ隠しておこうとしていた。自分でも忘れようとつとめていた。それが、きょうはどうしたはずみか、ふと話してみたくなった。

「さあ、どういうふうにお話ししたらいいか……私は××町でちょっと古い商家の総領に生れたのですが、親に甘やかされたのが原因でしょう、小さい時から病身で、学校などもそのために二年おくれたほどですが、そのほかにはこれという不都合もなく、小学から中学、それから東京の××大学と、人さまよりはおくれながらも、まずまず順当に育ってきたのでした。東京へ出てからはからだの方も順調でしたし、そこへ学科が専門になるにつれて興味が湧(わ)き、ぼつぼつ親しい友だちもできてくるというわけで、不自由な下宿生活もかえって楽しく、まあなんの屈託(くったく)もない学生生活を送っていたのでした。今から考えますと、ほんとうに

あのころが私の一生中での花でしたよ。ところが東京へ出て一年たつかたたないころでした。私はふと或る恐ろしい事実に気づくようになったのです」

ここまで話すと、井原氏はなぜかかすかに身震いした。斎藤氏は吸いさしの巻煙草を火鉢に突き差して、熱心に聞きはじめた。

「ある朝のことでした。私がこれから登校しようと、身支度をしていますと、同じ下宿にいる友だちが私の部屋へはいってきました。そして私が着物を着かえたりするのを待ち合わせながら、『ゆうべは大へんな気焔だったね』と冷やかすように言うではありませんか。しかし私には、いっこうその意味がわからないのです。『気焔って、ゆうべ僕が気焔をはいたとでもいうのかい』私がけげん顔に聞き返しますと、友だちはやにわに腹をかかえて笑い出し『君はけさはまだ顔を洗わないんだろう』とからかうのです。で、よく聞きただしてみますと、その前の晩の夜ふけに、友だちの寝ている部屋へ私がはいって行って、友だちをたたき起こして、やにわに議論をはじめたのだそうです。なんでも、プラトンとアリストテレスとの婦人観の比較論か何かを滔々と弁じたてたそうですが、自分が言いたいだけいってしまうと、友だちの意見なんか聞きもしないで、サッサと引き上げてしまったというのです。どうも狐にでもつままれたような話なんです。『君こそ夢でも見たんだろう。僕はゆうべは早くから床にはいって、今しがたまでぐっすり寝込んでいたんだもの、そんなことのありそうな道理がない』と言いますと、友だちは『ところが夢でない証拠には、君が帰ってから、僕は寝つかれないで永いあいだ読書していたくらいだし、何より確かなのは、見たまえ、この葉

書を。その時書いたんだ。夢で葉書を書くやつもないからね』と、むきになって主張するのです。

そんなふうに押し問答をしながら、結局あやふやのまま、その日は学校へ行ったことですが、教室へはいって講師のくるのを待っているあいだに、友だちが考え深そうな眼をして『君はこれまでに寝とぼける習慣がありはしないか』とたずねるのです。私はそれを聞くと、なんだか恐ろしいものにぶつかったように、思わずハッとしました。

私にはそういう習慣があったのです、私は小さい時分から寝言をよくいったそうですが、誰(だれ)かがその寝言にからかいでもすると、私は寝ていてハッキリ問答したそうです。しかし朝になっては少しもそれを記憶していないのです、珍らしいというので、近所の評判になっていたほどなんです。でも、それは小学校時代の出来事で、大きくなってからは忘れたようになおっていたのですが、いま友だちにたずねられると、どうやらこの幼時の病癖と、ゆうべの出来事とに脈絡がありそうな気がするのです。で、そのことを話しますと、『では、それが再発したんだぜ。つまり一種の夢遊病なんだね』友だちは気の毒そうにそんなことをいうのです。

さあ、私は心配になってきました。私は夢遊病がどんなものか、ハッキリしたことはむろん知りませんでしたが、夢中遊行、離魂病、夢中の犯罪などという熟語が気味わるく浮かんでくるのです。第一、若い私には、寝とぼけたというようなことが恥かしくてならなかったのです。もしそんなことがたびたび起こるようだったらどうしようと、私はもう気が気では

ありません。そのことがあって二、三日してから、私は勇気を出して、知合いの医者のところへ出掛けて相談してみました。ところが医者の言いますのには『どうも夢中遊行症らしいが、しかし、一度ぐらいの発作でそんなに心配しなくともよい。そうして神経を使うのがかえって病気を昂進させる元だ。なるべく気をしずめて、呑気に、規則正しい生活をして、からだを丈夫にしたまえ。そうすれば、自然そんな病気もなおってしまう』という至極楽観的な話なんです。で、私もあきらめて帰ったのですが、不幸にして私という人間は、生れつき非常な神経病みでして、いちどそんなことがあると、もうそれが心配で心配で、勉強なども手につかぬという有様でした。

どうかこれきり再発しなければいいがと、その当座は毎日ビクビクものでしたが、仕合わせと一と月ばかりというものは、なにごともなく過ぎてしまいました、ヤレヤレ助かったと思っていますと、どうでしょう、それも束の間の糠喜びで、間もなく今度は以前よりもひどい発作が起こり、なんと、私は夢中で他人の品物を盗んでしまったのです。

朝眼をさましてみますと、私の枕もとに見知らぬ懐中時計が置いてあるではありませんか、妙だなと思っているうちに、同じ下宿にいた会社員の男が『時計がない、時計がない』という騒ぎなんでしょう。私は『さては』と悟ったのですが、なんともきまりが悪くて、謝りに行くにも行けないという始末です。とうとう今いった友だちを頼んで、私が夢遊病者だということを証明してもらって時計を返し、やっとその場はおさまったのですが、さあそれからというものは『井原は夢遊病者だ』という噂がパッとひろがってしまって、学校の教室での

話題にさえなるという有様でした。

私はどうかして、この恥かしい病気をなおしたいと、その方面の書物を買い込んで読んでみたり、いろいろの健康法をやってみたり、もちろん医者は、いくたりもかえて見てもらうというわけで、できるだけ手をつくしたのですが、どうしてなおるどころか、だんだん悪くなって行くばかりです。月に一度、ひどい時には二度ぐらいずつ、必ず例の発作がおこり、少しずつ夢中遊行の範囲が広くなって行くという始末です。そして、そのたびごとに他人の品物を持ってくるか、自分の持物を持って行った先へ落としてくるのです。それさえなければ他人に知られずにすむこともあったのでしょうが、悪いことには、たいてい何か証拠品が残るのです。それとももしかしたら、そうでない場合にもたびたび発作を起こしていても、証拠品がないために知らずにしまったのかもしれません。なんにしてもわれながら薄気味のわるい話でした。ある時などは真夜中に下宿屋から抜け出して、近所のお寺の墓地をうろついていたことなどもありました。拍子のわるいことには、ちょうどその時、墓地のそとの往来を、同じ下宿屋にいる或る勤め人が、宴会の帰りかなんかで通り合わせて、低い生垣ごしに私の姿をみとめ、あすこには幽霊が出るなどと言いふらしたものですから、実はそれが私だったとわかると、さあたいへんな評判なんです。

そんなふうで私はいいもの笑いでした。なるほど、他人から見れば喜劇でもありましょうが、当時の私の身にとっては、それがどんなにつらく、どんなに気味のわるいことだったか、その気持は、とても当人でなけりゃわかりっこありませんよ。はじめのあいだは、今夜も失

策をしやしないか、今夜も寝とぼけやしないかと、それが非常に恐ろしかったのですが、だんだん、単に睡るということがこわくなってきました。いや睡る睡らないにかかわらず、夜になると寝床にはいらなければならぬということが強迫観念になってきました。そうなると、ばかげた話ですが、自分のでなくても、夜具というものを見るのが、いうにいわれぬいやな気持なんです。普通の人たちには一日中でもっとも安らかな休息時間が、私にはもっとも苦しい時なのです。なんという不幸な身の上だったのでしょう。

それに、私にはこの発作が起こりはじめた時から、ひとつ恐ろしい心配があったのです。というのは、いつまでもこのような喜劇がつづいて、人のもの笑いになっているだけですめばいいが、もしこれがいつの日か取りかえしのつかぬ悲劇を生むことになりはしないか、という点でした。私は先にも申し上げましたように、夢遊病に関する書物はできるだけ手をつくして収集し、それをいくども いくども読み返していたくらいですから、夢遊病者の犯罪の実例などもたくさん知っていました。そして、その中には数々の身震いするような血なまぐさい事件が含まれていたのです。気の弱い私がどんなにそれを心配したか、蒲団を見てさえ気持がわるくなるというのも決して無理ではなかったのです。やがて私もこうしてはいられないと気がつきました。いっそ学業をなげうって国許に帰ろうと決心したのです。で、或る日、それは最初の発作が起こってからもう半年あまりもたった頃でしたが、長い手紙を書いて、親たちのところへ相談してやりました。そして、その返事を待っているあいだに、どうでしょう、私の恐れに恐れていた出来事が、とうとう実現してしまったのです。私の一生涯

をめちゃめちゃにしてしまうような、とり返しのつかぬ悲劇が持ち上がったのです」

斎藤氏は身動きもしないで謹聴していた。しかし彼の眼は物語の興味に引きつけられているという以上に、何事かを語っているように見えた。正月の書き入れ時もとくに過ぎた温泉場は、湯治客も少なく、ひっそりとして物音ひとつしなかった。小鳥の鳴き声ももう聞こえてはこなかった。実世間というものから遠く切り離された世界に、二人の癈人は異常な緊張をもって相対していた。

「それは忘れもしない、ちょうど今から二十年前の秋のことです。ずいぶん古い話ですがね。ある朝眼をさましますと、なんとなく家の中がざわついていることに気づきました。傷持つ足の私はまた何か失策をやったのではないかと、すぐいやな気持に襲われるのでしたが、しばらく寝ながら様子を考えているうちに、どうもただ事でないという気がし出しました。なんともいえぬ恐ろしい予感が、ゾーッと背中を這い上がってくるのです。私はおずおずしながら、部屋の中をずっと見廻しました。すると、なんとなく様子が変なのです。部屋の中に、ゆうべ私が寝た時とはどことなく変ったところがあるような気がするのです。で、起き上がってよく調べてみますと、果たして変なものが眼にはいりました。部屋の入口のところに見覚えのない小さな風呂敷包みが置いてあるではありませんか。それを見た私は、なんということでしょう、やにわにそれをつかんで押入れの中へ投げ込んでしまったのです。そして、押入れの戸を締めると、泥棒のようにあたりを見廻して、ほっと溜息をつくのでした。ちょうどその時、音もなく障子をあけて一人の友だちが首を出しました。そして小さな声で『君、

大へんだよ』といかにもことありげにささやくのです。私は今の挙動をさとられやしなかったかと気が気でなく、返事もしないでいますと、『老人が殺されているんだ。ゆうべ泥棒がはいったんだよ。まあちょっときてみたまえ』そういって友だちは行ってしまいました。私はそれを聞くと、喉が塞がったようになって、しばらくは身動きもできませんでしたが、やっと気を取りなおして、様子を見に部屋を出て行きました。そして私は何を見、何を聞いたのでしょう……その時のなんともいえぬ変な気持というものは、二十年後の唯今でも、きのうのことのようにまざまざと思い出されます。ことにあの老人の物凄い死に顔は、寝ても覚めても、この眼の前にちらついて離れる時がありません」

井原氏は恐れに耐えぬように、あたりを見廻した。

「で、その出来事をかいつまんで申しますと、その夜、ちょうど息子夫婦が泊まりがけで親戚へ行っていたので、下宿の老主人はただ一人で玄関脇の部屋に寝ていたのですが、いつも早起きの主人が、その日に限っていつまでも寝ているので、女中の一人が不審に思ってその部屋をのぞいてみますと、老人は寝床の中に仰臥したまま、巻いて寝ていたフランネルの襟巻で絞め殺されて、冷たくなっていたのです。取調べの結果、犯人は老人を殺しておいて、老人の巾着から鍵を取り出し、箪笥の引き出しをあけ、その中の手提金庫から多額の債券や株券を盗み出したことがわかりました。何分その下宿屋は、夜ふけに帰ってくる客のために、いつだって入口の戸に鍵をかけたことがないのですから、賊の忍び入るにはお誂え向きなんですが、そのかわりに、よくしたもので、殺された老主人がばかに目敏い男なので、めった

なこともなかろうと、みな安心していたわけなんです。現場には別段これという手掛りも発見されなかったらしいのですが、ただ一つ老主人の枕もとに一枚のよごれたハンカチが落ちていて、それをその筋の役人が持って行ったという噂なんです。

しばらくすると、私は自分の部屋へ帰っていましたが、その部屋の押入れの中には、そら、例の風呂敷包みがあるのです。それを調べてみて、もし殺された老人の財産がはいっていたら……まあその時の私の気持をお察しください。ほんとうに命懸けの土壇場(どたんば)です。私は長いあいだ、寿命の縮む思いをしながらも、どうしても押入れがあけられないで立ちつくしていましたが、ついに意を決して風呂敷包みを調べてみたのです。その途端、私はグラグラと眼まいがして、しばらく気を失ったようになってしまいました……あったのです。その風呂敷包みの中に、債券と株券がちゃんとはいっていたのです……現場に落ちていたハンカチも私のものだったことが、あとになってわかりました。

結局、私はその日のうちに自首して出ました。そして、いろいろの役人にいくたびとなく取調べを受けた上、思い出してもゾッとする未決監へ入れられたのです。私はなんだか白昼の悪夢にうなされている気持でした。夢遊病者の犯罪というものがあまり類例がないことなので、専門医の鑑定だとか、下宿人たちの証言だとか、いろいろ手数のかかる取調べがありましたが、私が相当の家の息子で、金のために殺人を犯す道理がないこともわかっていましたし、私が夢遊病者だということは友人などの証言で明白なことですし、それに、国の父親が上京して二人も弁護士を頼んで骨折ってくれたり、最初私の夢遊病を発見した友だち――

それは木村という男でしたが――その男が学友を代表して熱心に運動してくれたり、そのほかいろいろ私にとって有利な事情がそろっていたためでありましょう、長い未決監生活の後、ついに無罪の判決がくだされました。さて無罪になったものの、人殺しという事実は、ちゃんと残っているのです。なんという変てこな立場でしょう。私は無罪の判決をうれしいと感じる気力もないほど疲れきっていました。

私は放免されるとすぐさま、父親同行で郷里に帰りました。が、家の敷居をまたぐと、それまででも半病人だった私は、ほんとうの病人になってしまって、半年ばかり寝たきりで暮らすという始末でした……そんなことで、私はとうとう一生を棒にふってしまったのです。父親の跡は弟にやらせて、それからのち二十年の長い月日を、こうして若隠居といった境遇で暮らしているのですが、もうこのごろでは煩悶もしなくなりましたよ。ハハハハハ」

井原氏は力ない笑い声で長い身の上話を結んだ。そして「下らないお話で、さぞ御退屈でしたろう。さあ、熱いのを一つ入れましょう」と言いながら茶道具を引き寄せるのであった。

「そうですか。ちょっと拝見したところは結構な御身分のようでも、伺ってみればあなたもやっぱり不幸な方なんですね」斎藤氏は意味ありげな溜息をつきながら「ですが、その夢遊病のほうは、すっかりおなおりなすったのですか」

「妙なことには、人殺しの騒ぎののち、忘れたようにいちども起こらないのです。おそらく、あの時あまりひどいショックを受けたためだろうと医者はいっています」

「そのあなたのお友だちだった方……木村さんとかおっしゃいましたね……その方が最初あ

なたの発作を見たのですね。それから時計の事件と、それから、墓地の幽霊の事件と……そのほかの場合はどんなふうだったのでしょうか。御記憶だったらお話しくださいませんか」

斎藤氏は突然、少しどもりながら、こんなことを言い出した。彼の一つしかない眼が異様に光っていた。

「そうですね。みな似たり寄ったりの出来事で、殺人事件をのけては、まあ墓地をさまよった時のが、いちばん変っていたでしょう。あとはたいてい同宿者の部屋へ侵入したというようなことでした」

「で、いつも品物を持ってくるとか、落としてくると、いうことから発見されたわけですね」

「そうです。でも、そうでない場合もたびたびあったかもしれません、ひょっとしたら、墓場どころではなく、もっともっと遠いところへさまよい出していたこともあったかもしれません」

「最初、木村というお友だちと議論をなすった時と、墓場で勤め人に見られた時と、そのほかに誰かに見られたというようなことはないのですか」

「いや、まだたくさんあったようです。夜なかに下宿屋の廊下を歩き廻っている足音を聞いた人もあれば、他人の部屋へ侵入するところを見たという人などもあったようです。しかしあなたは、どうしてそんなことをお尋ねになるのです。なんだか私が調べられているようではありませんか」

井原氏は無邪気に笑ってみせたが、その実、少し薄気味わるく思わないではいられなかった。

「いや、ごめんください。決してそういうわけではないのですが、あなたのようなお人柄な方が、たとえ夢中だったとはいえ、そんな恐ろしいことをなさろうとは、私にはどうも考えられないものですから。それに一つ、私にはどうも不審な点があるのです。どうか怒らないで聞いてください。こうして不具者になって世間をよそに暮らしていますと、ついなにごとも疑い深くなるのですね……ですが、あなたはこういう点をお考えなすったことがありますかしら。夢遊病者というものは、その徴候が本人には絶対にわからない。夜なかに歩き廻ったり、おしゃべりをしていても、朝になればすっかり忘れている。つまり他人に教えられてはじめて『おれは夢遊病者なのかなあ』と思うくらいのことでしょう、医者にいわせると、いろいろ肉体上の徴候もあるようですが、それとても実に漠としたもので、発作がともなってはじめて決せられる程度のものだというではありませんか。私は自分が疑い深いせいですか、あなたはよく無造作に自分の病気をお信じなすったと思いますよ」

井原氏は、何かえたいのしれぬ不安を感じはじめていた。それは、斎藤氏の話からきたというよりは、むしろ相手の見るも恐ろしい容貌から、その容貌の裏にひそむ何者かからきた不安であった。しかし、彼は強いてそれをおさえながら答えた。

「なるほど、私とても最初の発作の時にはそんなふうに疑ってもみました。そして、これが間違いであってくれればいいと祈ったほどでした。でも、あんなにも長いあいだ、絶間なく

発作が起こっては、もうそんな気休めもいっていられなくなるではありませんか」

「ところが、あなたは一つの大切な事柄に気づかないでいらっしゃるように思われるのです。というのは、あなたの発作を目撃した人が少ない。いや煎じつめればたった一人だったという点です」

井原氏は、相手がとんでもないことを空想しているらしいのに気づいた。それは実に、普通人の考えも及ばぬような恐ろしいことであった。

「一人ですって。いや決してそんなことはありません。先ほどもお話ししたように、私が他人の部屋へはいる後姿を見たり、廊下の足音を聞いたりしている人はいくらもあるのです、それから墓場の場合などは、名前は忘れましたが、或る会社員が確かに目撃して、私にそれを話したくらいです。そうでなくても、発作の起こるたびに、きっと他人の品物が私の部屋にあるか、私の持物がとんでもない遠方に落ちているかしたのですから、疑う余地がないじゃありませんか。品物がひとりで位置をかえるはずもありませんからね」

「いや、そういうふうに発作のおこるたびごとに証拠品が残っていたという点が、かえってあやしいのです。考えてごらんなさい。それらの品物は、必ずしもあなた自身の手をわずらわさなくても、誰かほかの人がそっと位置をかえておくこともできるのですからね。それから、目撃者がたくさんあったようにおっしゃいますが、墓場の場合にしても、そのほかの、後姿を見たとかなんとかいうのは、みな曖昧なところがあります。あなたでないほかの人を見ても、夢遊病者という先入主のために、少し夜ふけに怪しい人影でも見れば、すぐあなた

にしてしまったのかもしれません。そういう際に間違った噂をたてたからとて、少しも非難される心配はありませんし、その上、一つでも新しい事実を報告するのを手柄のように思うのが人情ですからね。さあ、こういうふうに考えてみますと、あなたの発作を目撃したという数人の人々も、たくさんの証拠の品物も、みな或る一人の男の手品から生れたのだといえないこともないではありませんか。それはいかにも上手な手品には違いありません。でも、いくら上手でも手品ですからね」

井原氏はあっけにとられたように、ぼんやりして、相手の顔をながめていた。彼はあまりのことに考えをまとめる力をなくした人のように見えた。

「で、私の考えを申しますと、これはその木村というお友だちの深いおもわくから編み出された手品かも知れないと思うのです。何かの理由から、その下宿屋の老主人をなきものにしたい、そっと殺してしまいたい。しかし、たとえいかほど巧妙な方法で殺しても、殺人が行なわれた以上、どうしても下手人が出なければ納まりっこはありませんから、誰か別の人を自分の身がわりに下手人にする。しかもその人にはできる限り迷惑のかからぬような方法で……もし、もしですよ。その木村という人がそんな立場にあったと仮定しますならば、あなたという信じやすい、気の弱い人を夢遊病者に仕立てて、ひと狂言書くということは、実に申し分のない方法ではなかったでしょうか。

こういう仮定を先ず立ててみて、それが理論上なりたつかどうかを調べてみましょう。さて、その木村という人は或る機会を見て、あなたにありもしない作り話をして聞かせます。

と、都合のいいことには、あなたが少年時代に寝とぼける癖があったことが一つの助けとなって、その試みが案外効果をおさめたとします。そこで木村氏は、ほかの下宿人の部屋から時計その他のものを盗み出して、あなたの寝ている部屋の中に入れておくとか、気づかれぬようにあなたの持物を盗み出して、他の場所へ落としておくとか、自分自身があなたのようによそおって墓場や下宿の廊下などを歩き廻るとか、種々様々の機智を弄して、ますますあなたの迷信を深めようとします。また一方、あなたの周囲の人たちにそれを信じさせるために、いろいろの宣伝をやります。こうして、あなたが夢遊病だということが、本人にも周囲にも完全に信じられるようになった上で、もっとも都合のいい時を見はからって、木村氏自身がかたきとねらう老人を殺害するのです。そして、その財産をそっとあなたの部屋に入れておき、前もって盗んでおいたあなたの所持品を現場へのこしておくと、こういうふうに想像することが、あなたは理論的だとは思いませんか。一点の不合理も見出せないではありませんか。そしてその結果はあなたの自首ということになります。なるほどそれはあなたにとってずいぶん苦しいことには違いありませんが、犯罪という点では無罪とはいかずとも、比較的軽くすむのはわかりきったことです。よし多少の刑罰を受けたところで、あなたにしてみれば病気のさせた罪ですから、ほんとうの犯罪ほど心苦しくはないはずです。少なくとも木村氏はそう信じていたことでしょう。別段あなたに対して敵意があったわけではなかったのですからね。ですが、もし彼があなたの今のような告白を聞いたなら、さぞかし後悔したことでしょう。

いやとんだ失礼なことを申しました。どうか気を悪くしないでください。これというのも、あなたの懺悔話を伺って、あまりお気の毒に思ったものですから、つい、われを忘れて変な理窟を考え出してしまったのです。ですが、あなたのお心を二十年来悩ましてきた事件も、こういうふうに考えれば、すっかり気安くなるではありませんか。いかにも私の申し上げたことは当て推量かもしれません。でも、たとえ当て推量にしろ、そう考える方が理窟にもかない、あなたのお心も安まるとすれば、それで結構ではありますまいか。

木村という人がなぜ老人を殺さねばならなかったか。それは私が木村自身でない以上、どうもわかりようがありませんが、そこにはきっと、いうにいわれぬ深いわけがあったことでしょう。たとえば、そうですね、敵討ちといったような……」

まっさおになった井原氏の顔色に気づくと、斎藤氏はふと話をやめて、なにごとかをおそれるようにうなだれた。

二人はそうしたまま長いあいだ対坐していた。冬の日は暮れるにはやく、障子の日影も薄れて、部屋の中にはうそ寒い空気がただよい出していた。

やがて、斎藤氏はおそるおそる挨拶をすると、逃げるように帰って行った。井原氏はそれを見送ろうともしなかった。彼は元の場所にすわったまま、込み上げてくる忿怒をじっとおさえつけていた。思いがけぬ発見に思慮を失うまいとして、全力をつくしていた。

しかし時がたつにつれて、彼のすさまじい顔色がだんだん元に復して行った。そして、にがにがしい笑いが彼の口辺にただようのだった。

「顔かたちこそまるで変っているが、あいつは、あいつは……だが、たとえあの男が木村自身だったとしても、おれは何を証拠に復讐しようというのだ。おれというおろかものは、手も足も出ないで、あの男の手前勝手な憐憫をありがたく頂戴するばかりじゃないか」

井原氏は、つくづく自分のおろかさがわかったような気がした。と、同時に、世にもすばらしい木村の機智を、にくむというよりはむしろ讃美しないではいられなかった。

D坂の殺人事件

(上) 事　実

それは九月初旬のある蒸し暑い晩のことであった。私は、D坂の大通りの中ほどにある、白梅軒という、行きつけの喫茶店で、冷しコーヒーを啜っていた。当時私は、学校を出たばかりで、まだこれという職業もなく、下宿にゴロゴロして本でも読んでいるか、それに飽きると、当てどもなく散歩に出て、あまり費用のかからぬ喫茶店廻りをやるくらいが、毎日の日課だった。この白梅軒というのは、下宿屋から近くもあり、どこへ散歩するにも必ずその前を通るような位置にあったので、したがって、いちばんよく出入りするわけであったが、私という男は悪い癖で、喫茶店にはいるとどうも長尻になる。それに、元来食欲の少ない方なので、ひとつは嚢中の乏しいせいもあってだが、洋食ひと皿注文するでなく、安いコーヒーを二杯も三杯もお代りして、一時間も二時間もじっとしているのだ。そうかといって、別段、ウェートレスにおぼしめしがあったり、からかったりするわけでもない。まあ下宿よりなんとなく派手で居心地がいいのだろう。私はその晩も、例によって、一杯の冷しコーヒーを十分もかかって飲みながら、いつもの往来に面したテーブルに陣取って、ボンヤリ窓のそとをながめていた。

さて、この白梅軒のあるD坂というのは、以前菊人形の名所だったところで、狭かった通

りが市区改正で取り拡げられ、何間道路とかいう大通りになって間もなくだから、まだ大通りの両側にところどころ空地などもあって、今よりはずっと淋しかった時分の話だ。大通りを越して白梅軒のちょうど真向こうに、一軒の古本屋がある。実は、私は先ほどから、そこの店先をながめていたのだ。みすぼらしい場末の古本屋で、別段ながめるほどの景色でもないのだが、私にはちょっと特別の興味があった。というのは、私が近頃この白梅軒で知合いになった一人の妙な男があって、名前は明智小五郎というのだが、話をしているといかにも変り者で、それが頭がよさそうで、私の惚れ込んだことには、探偵小説好きなのだが、その男の幼馴染の女が、今ではこの古本屋の女房になっているということを、この前、彼から聞いていたからだった。二、三度本を買って覚えているところによれば、この古本屋の細君というのがなかなかの美人で、どこがどうというではないが、なんとなく官能的に男をひきつけるようなところがあるのだ。彼女は夜はいつでも店番をしているのだから、今晩もいるに違いないと、店じゅうを、といっても二間半間口の手狭な店だけれど、探してみたが、誰もいない。いずれそのうちに出てくるのだろうと、私はじっと眼で待っていたものだ。

だが、女房はなかなか出てこない。で、いい加減面倒臭くなって、隣の時計屋へと眼を移そうとしている時であった。私はふと、店と奥の間との境に閉めてある障子の戸が、ピッシャリしまるのを見た——その障子は専門家の方では無双と称するもので、普通、紙をはるべき中央の部分が、こまかい縦の二重の格子になっていて、一つの格子の幅が五分ぐらいで、それが開閉できるようになっているのだ——ハテ変なこともあるものだ。古本屋などという

ものは、万引きされやすい商売だから、たとえ店に番をしていなくても、奥に人がいて、障子のすき間などから、じっと見張っているものなのに、そのすき見の箇所を塞いでしまうとはおかしい。寒い時分ならともかく、九月になったばかりのこんな蒸し暑い晩だのに、第一障子そのものが閉めきってあるのからして変だ。そんなふうにいろいろ考えてみると、古本屋の奥の間になにごとかありそうで、私は眼を移す気になれなかった。

古本屋の細君といえば、ある時、この喫茶店のウェートレスたちが、妙な噂をしているのを聞いたことがある。なんでも、銭湯で出会うおかみさんや娘さんたちの棚おろしのつづきらしかったが、「古本屋のおかみさんは、あんなきれいな人だけれど、はだかになると、からだじゅう傷だらけだ。たたかれたり抓られたりした痕に違いないわ。別に夫婦仲が悪くもないようだのに、おかしいわねえ」すると別の女がそれを受けてしゃべるのだ。「あの並びのソバ屋の旭屋のおかみさんだって、よく傷をしているわ。あれもどうも叩かれた傷に違いないわ」……で、この噂話が何を意味するか、私は深くも気に留めないで、ただ亭主が邪慳なのだろうぐらいに考えたことだが、読者諸君、それがなかなかそうではなかったのだ。このちょっとした事柄が、この物語全体に大きな関係を持っていたことが、後になってわかったのである。

それはともかく、私はそうして三十分ほども同じところを見詰めていた。虫が知らすとでもいうのか、なんだかこう、傍見をしているすきに何事か起こりそうで、どうもほかへ眼が向けられなかったのだ。その時、先ほどちょっと名前の出た明智小五郎が、いつもの荒い棒

縞の浴衣を着て、変に肩を振る歩き方で、窓のそとを通りかかった。彼は私に気づくと会釈をして中へはいってきたが、冷しコーヒーを命じておいて、私と同じように窓の方を向いて、私の隣に腰かけた。そして、私が一つところを見詰めているのに気づくと、彼はその私の視線をたどって、同じく向こうの古本屋をながめた。しかし、不思議なことには、彼もまた、いかにも興味ありげに、少しも眼をそらさないで、その方を凝視し出したのである。

　私たちは、そうして、申し合わせたように同じ場所をながめながら、いろいろむだ話を取りかわした。その時、私たちのあいだにどんな話題が話されたか、今ではもう忘れてもいるし、それに、この物語にはあまり関係のないことだから、略するけれど、それが、犯罪や探偵に関したものであったことは確かだ。試みに見本をひとつ取り出してみると、

「絶対に発見されない犯罪というものは不可能でしょうか。僕はずいぶん可能性があると思うのですがね。たとえば、谷崎潤一郎の『途上』ですね。ああした犯罪はまず発見されることはありませんよ。もっとも、あの小説では、探偵が発見したことになってますけれど、あれは作者のすばらしい想像力が作り出したことですからね」と明智。

「いや、僕はそうは思いませんよ。実際問題としてならともかく、理論的にいって、探偵のできない犯罪なんてありませんよ。ただ、現在の警察に『途上』に出てくるような偉い探偵がいないだけですよ」と私。

　ざっとこういったふうなのだ。だが、ある瞬間、二人は言い合わせたように、ふとだまり込んでしまった。さっきから、話しながら眼をそらさないでいた向こうの古本屋に、ある面

白い事件が発生していたのだ。

「君も気づいているようですね」

と私がささやくと、彼は即座に答えた。

「本泥棒でしょう。どうも変ですね。僕もここへはいってきた時から、見ていたんですよ。これで四人目ですね」

「君が来てからまだ三十分にもなりませんが、三十分に四人も。少しおかしいですね。僕は君の来る前からあすこを見ていたんですよ。一時間ほど前にね、あの障子があるでしょう。あれの格子のようになったところが、しまるのを見たんですが、それからずっと注意していたのです」

「うちの人が出て行ったのじゃないのですか」

「それが、あの障子は一度もひらかないのですよ。出て行ったとすれば裏口からでしょうが……三十分も人がいないなんて、確かに変ですよ。どうです、行ってみようじゃありませんか」

「そうですね。うちの中には別状がないとしても、そとで何かあったのかもしれませんからね」

私はこれが犯罪事件ででもあってくれれば面白いがと思いながら、喫茶店を出た。明智とても同じ思いに違いなかった。彼も少なからず興奮しているのだ。

古本屋は、よくある型で、店は全体土間になっていて、正面と左右に天井まで届くような

本棚を取り付け、その腰のところが本を並べるための台になっている。土間の中央には、島のように、これも本を並べたり積み上げたりするための、長方形の台がおいてある。そして、正面の本棚の右の方が三尺ばかりあいていて奥の部屋との通路になり、先にいった一枚の障子が立ててある。いつもは、この障子の前の半畳ほどの畳敷きのところに、主人か細君がチョコンとすわって番をしているのだ。

明智と私とは、この畳敷きのところまで行って、大声に叫んでみたけれど、なんの返事もない。はたして誰もいないらしい。私は障子を少しあけて、奥の間を覗いてみると、中は電灯が消えてまっ暗だが、どうやら人間らしいものが、部屋の隅に倒れている様子だ。不審に思ってもう一度声をかけたが、返事をしない。

「構わない、上がってみようじゃありませんか」

そこで、二人はドカドカと奥の間へ上がり込んで行った。明智の手で電灯のスイッチがひねられた。そのとたん、私たちは同時に「アッ」と声をたてた。明かるくなった部屋の片隅に、女の死体が横たわっていたからだ。

「ここの細君ですね」やっと私がいった。「首を絞められているようじゃありませんか」

明智はそばへ寄って、死骸を調べていたが、

「とても蘇生の見込みはありませんよ。早く警察へ知らせなきゃ。僕、公衆電話まで行ってきましょう。君、番をしててください。近所へはまだ知らせない方がいいでしょう。手掛りを消してしまってはいけないから」

彼はこう命令的に言い残して、半丁ばかりのところにある公衆電話へ飛んで行った。平常から、犯罪だ探偵だと、議論だけはなかなか一人前にやってのける私だが、さて実際にぶっつかったのははじめてだ。手のつけようがない。私は、ただ、まじまじと部屋の様子をながめているほかはなかった。

部屋はひと間きりの六畳で、奥の方は、右一間は幅の狭い縁側をへだてて、二坪ばかりの庭と便所があり、庭の向こうは板塀になっている――夏のことで、あけっぱなしだから、すっかり、見通しなのだ――左半間はひらき戸で、その奥に二畳敷きほどの板の間があり、裏口に接して狭い流し場が見え、裏口の腰高障子は閉まっている。向かって右側は、四枚の襖になっていて、中は二階への階段と物入れ場になっているらしい。ごくありふれた安長屋の間取りだ。死骸は、左側の壁寄りに、店の間の方を頭にして倒れている。私は、なるべく兇行当時の模様を乱すまいとして、一つは気味もわるかったので、死骸のそばへ近寄らないようにしていた。でも、狭い部屋のことだから、見まいとしても、自然その方に眼が行くのだ。女は荒い中形模様の浴衣を着て、ほとんど仰向きに倒れている。しかし、着物が膝の上の方までまくれて、腿がむき出しになっているくらいで、別に抵抗した様子はない。首のところは、よくはわからぬが、どうやら、絞められた痕が紫色になっているらしい。

表の大通りには往来が絶えない。声高に話し合って、カラカラと日和下駄を引きずって行くのや、酒に酔って流行歌をどなって行くのや、しごく天下泰平なことだ。そして障子ひとえの家の中には、一人の女が惨殺されて横たわっている。なんという皮肉だろう。私は妙な

気持になって、呆然とたたずんでいた。

「すぐくるそうですよ」

明智が息をきって帰ってきた。

「あ、そう」

私はなんだか口をきくのも大儀になっていた。二人は長いあいだ、ひとことも言わないで顔を見合わせていた。

間もなく、一人の制服の警官が背広の男と連れだってやってきた。制服の方は、後で知ったのだが、K警察署の司法主任で、もう一人は、その顔つきや持物でもわかるように同じ署に属する警察医だった。私たちは司法主任に、最初からの事情を大略説明した。そして私はこうつけ加えた。

「この明智君が喫茶店へはいってきた時、偶然時計を見たのですが、ちょうど八時半でしたから、この障子の格子が閉まったのは、おそらく八時頃だったと思います。その時はたしか中にも電灯がついていました。ですから、少なくとも八時頃には、誰か生きた人間がこの部屋にいたことは明らかです」

司法主任が私たちの陳述を聞き取って、手帳に書き留めているあいだに、警察医は一応死体の検診を済ませていた。彼は私たちの言葉のとぎれるのを待っていった。

「絞殺ですね。手でやられたのです。これごらんなさい。この紫色になっているのが指の痕ですよ。それから、この出血しているのは、爪があたった箇所です。拇指の痕が頸の右側に

ついているのを見ると、右手でやったものですね。そうですね。おそらく死後一時間以上はたっていないでしょう。しかし、むろん蘇生の見込みはありません」

「上から押さえつけられたのですね」司法主任が考え考え言った。「しかし、それにしても、抵抗した様子がないが……おそらく非常に急激にやったのでしょうね、ひどい力で」

それから、彼は私たちの方を向いて、この家の主人はどうしたのだと尋ねた。だが、むろん、私たちが知っているはずはない。そこで、明智は気をきかして、隣家の時計屋の主人を呼んできた。

司法主任と時計屋の問答は大体次のようなものだった。

「主人はどこへ行っているのかね」

「ここの主（あるじ）は、毎晩古本の夜店を出しに参りますんで、いつも十二時頃でなきゃ帰って参りません」

「どこへ夜店を出すんだね」

「よく上野の広小路（ひろこうじ）へ参りますようですが、今晩はどこへ出しましたか、どうも手前にはわかりかねます」

「一時間ばかり前に、何か物音を聞かなかったかね」

「物音と申しますと」

「きまっているじゃないか。この女が殺される時の叫び声とか、格闘の音とか……」

「別段これという物音も聞きませんようでございましたが」

そうこうするうちに、近所の人たちが聞き伝えて集まってきたのと、通りすがりの野次馬で、古本屋の表は一杯の人だかりになった。その中に、もう一方の隣家の足袋屋のおかみさんがいて、時計屋に応援した。そして、彼女も、何も物音を聞かなかったと申し立てた。

このあいだに、近所の人たちは、協議の上、古本屋の主人のところへ使を走らせた様子だった。

そこへ、表に自動車が停まる音がして、数人の人がドヤドヤとはいってきた。それは警察からの急報で駈けつけた検事局の連中と、偶然同時に到着したK警察署長、及び当時名探偵という噂の高かった小林刑事などの一行だ——むろんこれは後になってわかったことだ。というのは、私の友だちに一人の司法記者があって、それがこの事件の係りの小林刑事とごく懇意だったので、私は後日彼からいろいろと聞くことができたのだ。——先着の司法主任は、この人たちの前で今までの模様を説明した。私たちも先の陳述をもう一度繰り返さねばならなかった。

「表の戸を閉めましょう」

突然、黒いアルパカの背広に白ズボンという、下廻りの会社員みたいな男が大声でどなって、さっさと戸を閉め出した。これが小林刑事だった。彼はこうして野次馬を撃退しておいて、さて探偵にとりかかった。彼のやり方はいかにも傍若無人で、検事や署長などはまるで眼中にない様子だった。彼ははじめから終りまで一人で活動した。他の人たちはただ彼の敏捷な行動を傍観するためにやってきた見物人にすぎないように見えた。彼は第一に死体を調

べた。頸のまわりは殊に念入りにいじり廻していたが、

「この指の痕には別に特徴がありません。つまり普通の人間が、右手で押さえつけたという以外になんの手がかりもありません」

と検事の方を見て言った。次に彼は一度死体をはだかにしてみると言い出した。そこで議会の秘密会みたいに、傍観者の私たちは、店の間へ追い出されねばならなかった。だから、そのあいだにどういう発見があったか、よくわからないが、察するところ、彼らは死人のからだにたくさんの生傷のあることを注意したに違いない。喫茶店のウェートレスの噂していたあれだ。


やがて、この秘密会は解かれたけれど、私たちは奥の間にはいって行くのを遠慮して、例の店の間と奥との境の畳敷きのところから奥の方をのぞきこんでいた。幸いなことには、私たちは事件の発見者だったし、それに、あとから明智の指紋をとらねばならぬことになったために、最後まで追い出されずにすんだ。というよりは抑留されていたという方が正しいかもしれぬ。しかし小林刑事の活動は奥の間だけに限られていたわけではなく、屋内屋外の広い範囲にわたって行なわれたのだから、ひとつところにじっとしていた私たちに、その捜査の模様がわかろうはずがないのだが、うまいぐあいに、検事が奥の間に陣取っていて、始終ほとんど動かなかったので、刑事が出たりはいったりするごとに、一々捜査の結果を報告するのを、もれなく聞きとることができた。検事はその報告にもとづいて、調書の材料を書記に書きとめさせていた。

まず、死体のあった奥の間の捜索が行なわれたが、遺留品も、足跡も、その他探偵の眼に触れる何物もなかった様子だった。ただひとつのものを除いては。

「電灯のスイッチに指紋があります」黒いエボナイトのスイッチに何か白い粉をふりかけていた刑事がいった。

「前後の事情から考えて、電灯を消したのは犯人に違いありません。しかし、これをつけたのはあなた方のうちどちらですか」

明智が自分だと答えた。

「そうですか。あとであなたの指紋をとらせてください。この電灯はさわらないようにして、このまま取りはずして持って行きましょう」

それから、刑事は二階へ上がって行って、しばらく下りてこなかったが、下りてくるとすぐに裏口の路地を調べるのだと言って出て行ってしまった。それが十分もかかったろうか。やがて、彼はまだついたままの懐中電灯を片手に、一人の男を連れて帰ってきた。それは汚れたクレップシャツにカーキ色のズボンという服装で、四十ばかりの汚ない男だ。

「足跡はまるでだめです」刑事が報告した。「この裏口の辺は、日当りがわるいせいか、ひどいぬかるみで、下駄の跡が滅多無性についているんだから、とてもわかりっこありません。ところで、この男ですが」と今連れてきた男を指さし「これは、この裏の路地を出たところの角に店を出していた、アイスクリーム屋ですが、もし犯人が裏口から逃げたとすれば、路地は一方口なんですから、かならずこの男の眼についたはずです。君、もう一度私の訊ねる

ことに答えてごらん」

そこで、アイスクリーム屋と刑事の一問一答。

「今晩八時前後に、この路地を出入したものはないかね」

「一人もありません。日が暮れてからこっち、猫の子一匹通りません」アイスクリーム屋はなかなか要領よく答える。「私は長らくここへ店を出させてもらってますが、あすこは、このおかみさんたちも、夜分は滅多に通りません。何分あの足場のわるいところへもってきて、まっ暗なんですから」

「君の店のお客で路地の中へはいったものはないかね」

「それもございません。皆さん私の眼の前でアイスクリームを食べて、すぐ元の方へお帰りになりました。それはもう間違いはありません」

さて、もしこのアイスクリーム屋の証言が信用すべきものだとすると、犯人はたとえこの家の裏口から逃げたとしても、その裏口からの唯一の通路である路地は出なかったことになる。さればといって表の方から出なかったことも、私たちが白梅軒から見ていたのだから間違いはない。では彼は一体どうしたのであろう。小林刑事の考えによれば、これは、犯人がこの路地を取りまいている裏おもて二がわの長屋のどこかの家に潜伏しているか、それともこの借家人のうちに犯人がいるのか、どちらかであろう。もっとも、二階から屋根伝いに逃げる道はあるけれど、二階をしらべたところによると、表の方の窓は取りつけの格子がはまっていて、少しも動かした様子はないのだし、裏の方の窓だって、この暑さで、どこの家も二階

は明けっぱなしで、中には物干で涼んでいる人もあるくらいだから、ここから逃げるのはちょっとむずかしいように思われる、というのだ。

そこで臨検者たちのあいだに、ちょっと捜査方針についての協議がひらかれたが、結局、手分けをして近所を軒並みにしらべてみることになった。といっても、裏おもての長屋を合わせて十一軒しかないのだから、たいして面倒ではない。それと同時に、家の中も再度、縁の下から天井裏まで残るくまなく調べられた。ところがその結果は、なんの得るところもなかったばかりでなく、かえって事情を困難にしてしまったようにみえた。というのは、古本屋の一軒おいて隣の菓子屋の主人が、日暮れ時分からつい今しがたまで、屋上の物干へ出て尺八を吹いていたことがわかったが、彼は初めからしまいまで、ちょうど古本屋の二階の窓の出来事を見のがすはずのないような位置に坐(すわ)っていたのだ。

読者諸君、事件はなかなか面白(おもしろ)くなってきた。犯人は、どこからはいって、どこから逃げたのか、裏口からでもない、二階の窓からでもない、そして表からではもちろんない。彼は最初から存在しなかったのか、それとも煙のように消えてしまったのか。不思議はそればかりではない。小林刑事が、検事の前に連れてきた二人の学生が、実に妙なことを申し立てたのだ。それは近所に間借りしている或(あ)る工業学校の生徒たちで、二人ともでたらめをいうような男とも見えぬが、それにもかかわらず、彼らの陳述はこの事件をますます不可解にするような性質のものだったのである。

検事の質問に対して、彼らは大体左のように答えた。

「僕は、ちょうど八時頃に、この古本屋の前に立って、そこの台にある雑誌をひらいて見ていたのです。すると、奥の方でなんだか物音がしたもんですから、ふと眼を上げてこの障子の方を見ますと、障子は閉まっていましたけれど、この格子のようになったところがひらいていましたので、そのすき間に一人の男の立っているのが見えました。しかし、私が眼を上げるのと、その男がこの格子を閉めるのと、ほとんど同時でしたから、くわしいことはむろん分りませんが、でも帯のぐあいで男だったことは確かです」

「で、男だったというほかに何か気づいた点はありませんか、背恰好とか、着物の柄とか」

「見えたのは腰から下ですから背恰好はちょっとわかりませんが、着物は黒いものでした。ひょっとしたら、細かい縞か絣であったかもしれませんけれど、私の眼には黒く見えました」

「僕もこの友だちと一緒に本を見ていたんです」ともう一方の学生、「そして、同じように物音に気づいて同じように格子の閉まるのを見ました。ですが、その男は確かに白い着物を着ていました。縞も模様もない、白っぽい着物です」

「それは変ではありませんか。君たちのうちどちらかが間違いでなけりゃ」

「決して間違いではありません」

「僕も嘘は言いません」

　この二人の学生の不思議な陳述は何を意味するか、敏感な読者はおそらくあることに気づかれたであろう。実は、私もそれに気づいたのだ。しかし、検事や警察の人たちは、この点

について、あまり深くは考えない様子だった。

間もなく、死人の夫の古本屋が、知らせを聞いて帰ってきた。彼は古本屋らしくない、きゃしゃな若い男だったが、細君の死骸を見ると、気の弱い性質とみえて、声こそ出さないけれど、涙をぼろぼろこぼしていた。小林刑事は彼が落ち着くのを待って、質問をはじめた。検事も口を添えた。だが、彼らの失望したことには、主人は全然犯人の心当りがないというのだ。彼は「これに限って人様の怨みを受けるようなものではございません」といって泣くのだ。それに、彼がいろいろ調べた結果、物とりの仕業でないことも確かめられた。そこで主人の経歴、細君の身元その他のさまざまの取調べがあったけれど、それらは別段疑うべき点もなく、この話の筋に大して関係もないので、略することにする。最後に死人のからだにある多くの生傷について刑事の質問があった。主人は非常に躊躇していたが、やっと自分がつけたのだと答えた。ところが、その理由については、くどく訊ねられたにもかかわらず、ハッキリ答えることはできなかった。しかし、彼はその夜ずっと夜店を出していたことがわかっているのだから、たとえそれが虐待の傷痕だったとしても、殺害の疑いはかからぬはずだ。刑事もそう思ったのか、深くは追求しなかった。

そうして、その夜の取調べはひとまず終った。私たちは住所氏名などを書き留められ、明智は指紋をとられ、帰路についたのは、もう一時を過ぎていた。

もし警察の捜索に手抜かりなく、また証人たちも嘘をいわなかったとすれば、これは実に不可解な事件であった。しかしあとで分ったところによると、翌日から引きつづいて行なわ

れた小林刑事のあらゆる取調べもなんの甲斐もなくて、事件は発生の当夜のまま少しだって発展しなかったのだ。証人たちはすべて信頼するに足る人々だった。十一軒の長屋の住人にも疑うべきところはなかった。被害者の国許も取調べられたけれど、これまたなんの変ったこともない。少なくとも、小林刑事――彼は先にもいった通り、名探偵とうわさされている人だ――が、全力をつくして捜索した限りでは、この事件は全然不可解と結論するほかはなかった。これもあとで聞いたのだが、小林刑事が唯一の証拠品として、頼みをかけて持ち帰った例の電灯のスイッチにも、明智の指紋のほか何物も発見することができなかった。明智はあの際であわてていたせいか、そこにはたくさんの指紋が印せられていたが、すべて彼自身のものだった。おそらく、明智の指紋が犯人のそれを消してしまったのだろうと、刑事は判断した。

読者諸君、諸君はこの話を読んで、ポーの「モルグ街の殺人」やドイルの「スペックルド・バンド」を連想されはしないだろうか。つまり、この殺人事件の犯人が、人間ではなくて、オランウータンだとか、印度の毒蛇だとかいうような種類のものだと想像されはしないだろうか。私も実はそれを考えたのだ。しかし、東京のD坂あたりにそんなものがいるとも思われぬし、第一、障子のすき間から、男の姿を見たという証人があるのみならず、猿類などだったら、足跡の残らぬはずはなく、また人眼にもついたわけだ。そして、死人の頸にあった指の痕も、まさに人間のそれだった。蛇がまきついたとて、あんな痕は残らぬ。

それはともかく、明智と私とは、その夜帰途につきながら、非常に興奮していろいろと話

し合ったものだ。一例をあげると、まあこんなふうなことを。

「君は、ポーの『ル・モルグ』やルルーの『黄色の部屋』などの材料になった、あのパリの Rose Delacourt 事件を知っているでしょう。百年以上たった今日でも、まだ謎(なぞ)として残っているあの不思議な殺人事件を。僕はあれを思い出したのですよ。今夜の事件も犯人の立ち去った跡のないところは、どうやら、あれに似ているではありませんか」と明智。

「そうですね。実に不思議ですね。よく、日本の建築では外国の探偵小説にあるような深刻な犯罪は起こらないなんていいますが、僕は決してそうじゃないと思いますよ、現にこうした事件もあるのですからね。僕はなんだか、できるかできないかわかりませんけれど、ひとつこの事件を探偵してみたいような気がしますよ」と私。

そうして、私たちはある横町で別れを告げた。その時私は、横町をまがって彼一流の肩を振る歩き方で、さっさと帰って行く明智のうしろ姿が、その派手な棒縞の浴衣(ゆかた)によって、闇(やみ)の中にくっきりと浮き出して見えたのが、なぜか深く私の印象に残った。

(下)推理

さて、殺人事件から十日ほどたった或る日、私は明智小五郎(あけちこごろう)の宿を訪ねた。その十日のあいだに、明智と私とが、この事件に関して、何をなし、何を考え、そして何を結論したか。読者は、それらを、この日、彼と私とのあいだに取りかわされた会話によって、充分察する

ことができるであろう。

それまで、明智とは喫茶店で顔を合わしていたばかりで、宿を訪ねるのは、その時がはじめてだったけれど、かねて所を聞いていたので、探すのに骨は折れなかった。私は、それらしい煙草屋の店先に立って、おかみさんに明智がいるかどうかを尋ねた。

「ええ、いらっしゃいます。ちょっとお待ちください。今お呼びしますから」

彼女はそういって、店先から見えている階段の上がり口まで行って、大声に明智を呼んだ。彼はこの家の二階に間借りしていたのだ。すると、「オー」と変な返事をして、明智はミシミシと階段を下りてきたが、私を発見すると、驚いた顔をして「やあ、お上がりなさい」といった。私は彼の後に従って二階へ上がった。ところが、なにげなく、彼の部屋へ一歩足を踏み込んだ時、私はアッとたまげてしまった。部屋の様子があまりにも異様だったからだ。明智が変り者だということは知らぬではなかったけれど、これはまた変り過ぎていた。

なんのことはない、四畳半の座敷が書物で埋まっているのだ。まん中のところに少し畳が見えるだけで、あとは本の山だ、四方の壁や襖にそって、下の方はほとんど部屋いっぱいに、上の方ほど幅が狭くなって天井の近くまで、四方から書物の土手がせまっている。ほかの道具などは何もない。一体彼はこの部屋でどうして寝るのだろうと疑われるほどだ。第一、主客二人のすわるところもない。うっかり身動きしようものなら、たちまち本の土手くずれで、おしつぶされてしまうかもしれない。

「どうも狭くっていけませんが、それに、座蒲団がないのです。すみませんが、やわらかそ

うな本の上へでもすわってください」

私は書物の山に分け入って、やっとすわる場所を見つけたが、あまりのことに、しばらく、ぼんやりとその辺を見廻していた。

私はかくも風変りな部屋のぬしである明智小五郎の人物について、ここで一応説明しておかねばなるまい。しかし、彼とは昨今のつき合いだから、彼がどういう経歴の男で、何によって衣食し、何を目的にこの人生を送っているのか、というようなことは一切わからぬけれど、彼がこれという職業を持たぬ一種の遊民であることは確かだ。しいていえば学究であろうか。だが、学究にしてもよほど風変りな学究だ。いつか彼が「僕は人間を研究しているんですよ」と言ったことがあるが、そのとき私には、それが何を意味するのかわからなかった。ただ、わかっているのは、彼が犯罪や探偵について、なみなみならぬ興味と、おそるべき豊富な知識を持っていることだ。

年は私と同じくらいで、二十五歳を越してはいまい。どちらかといえば痩せた方で、先にも言った通り、歩く時に変に肩を振る癖がある。といっても、決して豪傑流のそれではなく、妙な男を引合いに出すが、あの片腕の不自由な講釈師の神田伯竜を思い出させるような歩き方なのだ。伯竜といえば、明智は顔つきから声音まで、彼にそっくりだ――伯竜を見たことのない読者は、諸君の知っているところの、いわゆる好男子ではないが、どことなく愛嬌のある、そしてもっとも天才的な顔を想像するがよい――ただ明智の方は、髪の毛がもっと長く延びていて、モジャモジャともつれ合っている、そして彼は人と話しているあいだにも、

指でそのモジャモジャになっている髪の毛を、さらにモジャモジャにするためのように引っ掻き廻すのが癖だ。服装などは一向に構わぬ方らしく、いつも木綿の着物によれよれの兵児帯を締めている。

「よく訪ねてくれましたね。その後しばらく会いませんが、例のD坂の事件はどうです。警察の方ではまだ犯人の見込みがつかぬようではありませんか」

明智は例の、頭を掻き廻しながら、ジロジロ私の顔をながめる。

「実は僕、きょうはそのことで少し話があって来たんですがね」そこで私はどういうふうに切り出したものかと迷いながらはじめた。「僕はあれから、いろいろ考えてみたんですよ。考えたばかりでなく、探偵のように実地の取調べもやったのですよ。そして、実はひとつの結論に達したのです。それを君にご報告しようと思って……」

「ホウ。そいつはすてきですね。くわしく聞きたいものですね」

私は、そういう彼の眼つきに、何がわかるものかというような、軽蔑と安心の色が浮かんでいるのを見のがさなかった。そして、それが私の逡巡している心を激励した。私は勢いこんで話しはじめた。

「僕の友だちに一人の新聞記者がありましてね、それが、例の事件の小林刑事というのと懇意なのです。で、僕はその新聞記者を通じて、警察の模様をくわしく知ることができましたが、警察ではどうも捜査方針が立たないらしいのです。むろん、いろいろやってはいるのですが、これはという見込みがつかぬのです。あの例の電灯のスイッチですね。あれもだめな

んです。あすこには、君の指紋だけしかついていないことがわかりました。警察の考えでは、多分君の指紋が犯人の指紋を隠してしまったのだろうというのですよ。そういうわけで、警察が困っていることを知ったものですから、僕はいっそう熱心に調べてみる気になりました。そこで、僕が到達した結論というのは、どんなものだと思います。そして、それを警察へ訴える前に、君のところへ話しにきたのはなんのためだと思います。

それはともかく、僕はあの事件のあった日から、或ることに気づいていたのですよ。君は覚えているでしょう。二人の学生が犯人らしい男の着物の色について、まるで違った申立てをしたことをね。一人は黒だと言い、一人は白だと言うのです。いくら人間の眼が不確かだと言って、正反対の黒と白とを間違えるのは変じゃないですか。警察ではあれをどんなふうに解釈したか知りませんが、僕は二人の陳述は両方とも間違いでないと思うのですよ。君、わかりますか。あれはね、犯人が白と黒とのだんだらの着物を着ていたんですよ――つまり、太い黒の棒縞の浴衣かなんかですね。よく宿屋の貸し浴衣にあるような――では、なぜそれが一人にはまっ白に見え、もう一人にはまっ黒に見えたかといいますと、彼らは障子の格子のすき間から見たのですから、ちょうどその瞬間、一人の眼が格子のすき間と着物の白地の部分と一致して見える位置にあり、もう一人の眼が黒地の部分と一致して見える位置にあったんです。これは珍らしい偶然かもしれませんが、決して不可能ではない。そして、この場合こう考えるよりほかに方法がないのです。

さて、犯人の着物の縞柄はわかりましたが、これでは単に捜査範囲が縮小されたというま

でで、まだ確定的のものではありません。第二の論拠は、あの電灯のスイッチの指紋なんです。僕はさっき話した新聞記者の友だちの伝手で小林刑事に頼んでその指紋を――君の指紋ですよ――よくしらべさせてもらったのです。その結果、いよいよ僕の考えていることが間違っていないのを確かめました。ところで君、硯があったら、ちょっと貸してくれませんか」

そこで、私はひとつの実験をやって見せた。まず硯を借りると、私は右手の拇指に薄く墨をつけて懐中から取り出した半紙の上にひとつの指紋を捺した。それから、その指紋の乾くのを待って、もう一度同じ指に墨をつけ、前の指紋の上から、今度は指の方向をかえて念入りにおさえつけた。すると、そこには互に交錯した二重の指紋がハッキリあらわれた。

「警察では、君の指紋が犯人の指紋の上に重なってそれを消してしまったのだと解釈しているのですが、しかしそれは今の実験でもわかる通り不可能なんですよ。いくら強く押したところで、指紋というものが線でできている以上、線と線とのあいだに、前の指紋の跡が残るはずです。もし前後の指紋がまったく同じもので、捺し方まで寸分違わなかったとすれば、指紋の各線が一致しますから、あるいは後の指紋が先の指紋を隠してしまうこともできるでしょうが、そういうことはまずあり得ませんし、たとえそうだとしても、この場合結論は変らないのです。

しかし、あの電灯を消したのが犯人だとすれば、スイッチにその指紋が残っていなければなりません。僕はもしや警察では君の指紋の線と線とのあいだに残っている犯人の指紋を見

おとしているのではないかと思って、自分で調べてみたのですが、少しもそんな痕跡がないのです。つまり、あのスイッチには、後にも先にも、君の指紋が捺されているだけなのです――どうして古本屋の人たちの指紋が残っていなかったのか、それはよくわかりませんが、多分、あの部屋の電灯はつけっぱなしで、一度も消したことがないのでしょう。〔文末の註（1）を見よ〕

君、以上の事柄はいったい何を語っているでしょう。僕は、こういうふうに考えるのですよ。一人の太い棒縞の着物を着た男が――その男はたぶん死んだ女の幼馴染で、失恋の恨みという動機なんかも考えられるわけですね――古本屋の主人が夜店を出すことを知っていて、その留守のあいだに女を襲ったのです。声を立てたり抵抗したりした形跡がないのですから、女はその男をよく知っていたに違いありません。で、まんまと目的をはたした男は、死骸の発見をおくらすために、電灯を消して立ち去ったのです。しかし、この男はひとつの大きな手ぬかりをやっています。それはあの障子の格子のあいているのを知らなかったこと、そして、驚いてそれを閉めた時に、偶然店先にいた二人の学生に姿を見られたことでした。それから、男はいったんそとへ出ましたが、ふと気がついたのは、電灯を消した時、スイッチに指紋が残ったに違いないということです。これはどうしても消してしまわねばなりません。しかし、もう一度同じ方法で部屋の中へ忍び込むのは危険です、そこで、男は一つの妙案を思いつきました。というのは、自分が殺人事件の発見者になることです。そうすれば、少しの不自然もなく、自分の手で電灯をつけて、以前の指紋に対する疑いをなくしてしまうこと

ができるばかりでなく、まさか、発見者が犯人だろうとは誰しも考えませんからね、二重の利益があるのです。こうして、彼は何食わぬ顔で警察のやり方を見ていたのです。大胆にも証言さえしました。しかも、その結果は彼の思うつぼだったのですよ。五日たっても十日たっても、誰も彼をとらえに来るものはなかったのですからね」

この私の話を、明智小五郎はどんな表情で聴いていたか。私は、おそらく話の中途で、何か変った表情をするか、言葉をはさむだろうと予期していた。ところが、驚いたことには、彼の顔にはなんの表情もあらわれぬのだ。日頃から心を色にあらわさぬたちではあったけれど、あまり平気すぎる。彼は始終例の髪の毛をモジャモジャやりながら、だまりこんでいるのだ。私は、どこまでずうずうしい男だろうと思いながら、最後の点に話を進めた。

「君はきっと、それじゃ、その犯人はどこからはいって、どこから逃げたかと反問するでしょう。確かにそれが明らかにならなければ、他のすべてのことがわかってもなんのかいもないのですからね。だが、遺憾ながら、それも僕が探り出したのですよ。あの晩の捜査の結果では、全然犯人が出て行った形跡がないように見えました。しかし、殺人があった以上、犯人が出入りしなかったはずはないのですから、刑事の捜索にどこか抜け目があったと考えるほかはありません。警察でもそれにはずいぶん苦心した様子ですが、不幸にして、彼らは、僕という一人の青年の推理力に及ばなかったのですよ。

なあに、実に下らないことですが、僕はこう思ったのです。これほど警察が取調べているのだから、近所の人たちに疑うべき点はまずあるまい。もしそうだとすれば、犯人は何か、

人の眼にふれても、それが犯人だとは気づかれぬような方法で逃げたのじゃないだろうか。そして、それを目撃した人はあっても、まるで問題にしなかったのではなかろうかとね。つまり、人間の注意力の盲点――われわれの眼に盲点があると同じように、注意力にもそれがありますよ――を利用して、手品使いが見物の眼の前で、大きな品物をわけもなく隠すように、自分自身を隠したのかもしれませんからね。そこで、僕が眼をつけたのはあの古本屋の一軒おいて隣の旭屋(あさひや)というソバ屋です」

古本屋の右へ時計屋、菓子屋と並び、左へ足袋屋、ソバ屋と並んでいるのだ。

「僕はあすこへ行って、事件の夜八時頃に、手洗いを借りにきた男はないかと聞いてみたのです。あの旭屋は、君も知っているでしょうが、店から土間つづきで、裏木戸まで行けるようになっていて、その裏木戸のすぐそばに便所があるのですから、それを借りるように見せかけて、裏口から出て行って、また裏口から戻(もど)ってくるのはわけはありませんからね――例のアイスクリーム屋は路地を出た角に店を出していたのですから、見つかるはずはありませんん――それに相手がソバ屋ですから、手洗いを借りるということがきわめて自然なんです。聞けば、あの晩はおかみさんは不在で、主人だけが店の間にいたのだそうですから、おあつらえ向きなんです。君、なんとすてきな思いつきではありませんか。

調べてみると、果たして、ちょうどその時分に手洗いを借りた客があったのです。ただ、残念なことには、旭屋の主人は、その男の顔とか着物の縞柄なぞを少しも覚えていないのですがね――僕は早速このことを例の友だちを通じて、小林刑事に知らせてやりましたよ。刑

事は自分でもソバ屋を調べたようでしたが、それ以上には何もわからなかったのです……」

私は少し言葉を切って、明智に発言の余裕を与えた。彼の立場は、この際なんとか一こといわないではいられぬはずだ。ところが、彼は相変らず頭を掻き廻しながら、すましこんでいるではないか。私はこれまで、敬意を表する意味で間接法を用いていたのを、直接法に改めねばならなかった。

「君、明智君、僕のいう意味がわかるでしょう。動かぬ証拠が君を指さしているのですよ。白状すると、僕はまだ心の底では、どうしても君を疑う気にはなれないのですが、こういうふうに証拠がそろっていては、どうも仕方がありません……僕は、もしやあの長屋の住人のうちに、太い棒縞の浴衣を持っている人がないかと思って、ずいぶん骨折って調べてみましたが、一人もありません。それももっともですよ。同じ棒縞の浴衣でも、あの格子に一致するような派手なのを着る人は珍らしいのですからね。それに、指紋のトリックにしても、手洗いを借りるというトリックにしても、実に巧妙で、君のような犯罪学者ででもなければ、ちょっとまねのできない芸当ですよ。それから、第一おかしいのは、君はあの死人の細君と幼馴染だといっていながら、あの晩、細君の身元調べなんかあった時に、そばで聞いていて、少しもそれを申し立てなかったではありませんか。

さて、そうなると、唯一(ゆいいつ)の頼みはアリバイの有無です。ところが、それもだめなんです。君は覚えてますか、あの晩帰り途(みち)で、白梅軒へ来るまで君がどこにいたかということを、僕が聞きましたね。君は、一時間ほど、その辺を散歩していたと答えたでしょう。たとえ君の

散歩姿を見た人があったとしても、散歩の途中で、ソバ屋の手洗いを借りるなどはありがちのことですからね。明智君、僕のいうことが間違っていますか。どうです、もしできるなら君の弁明を聞きたいものですね」

読者諸君、私がこういって詰めよった時、奇人明智小五郎は何をしたと思います。面目なさに俯伏してしまったとでも思いますか。どうしてどうして、彼はまるで意表外のやり方で、私の度胆をひしいだ。というのは、彼はいきなりゲラゲラと笑い出したのである。

「いや失敬々々、決して笑うつもりはなかったのですが、君があまりにまじめだもんだから」明智は弁解するように言った。「君の考えはなかなか面白いですよ。僕は君のような友だちを見つけたことをうれしく思いますよ。しかし惜しいことには、君の推理はあまりに外面的で、そして物質的ですよ。たとえばですね。僕とあの女との関係についても、君は僕たちがどんなふうな幼馴染だったかということを、内面的に心理的に調べてみましたか。僕が以前あの女と恋愛関係があったかどうか。また現に彼女を恨んでいるかどうか。君にはそれくらいのことが推察できなかったのですか。あの晩、なぜ彼女を知っていることをいわなかったか、そのわけは簡単ですよ。僕は何も参考になるような事柄を知らなかったのです……僕はまだ小学校へもはいらぬ時分に、彼女と別れたきりなのですからね」

「では、たとえば指紋のことはどういうふうに考えたらいいのですか？」

「君は、僕があれから何もしないでいたと思うのですか。僕もこれでなかなかやったのですよ。D坂は毎日のようにうろついていましたよ。ことに古本屋へはよく行きました。そして、

主人をつかまえて、いろいろ探ったのです——細君を知っていたことはその時打ち明けたのですが、それがかえって話を聞き出す便宜になりましたよ——君が新聞記者をつうじて警察の模様を知ったように、僕はあの古本屋の主人から、それを聞き出していたんです。今の指紋のことも、じきわかりましたから、僕も妙だと思って調べてみたのですが、ハハハハ、笑い話ですよ。電球の線が切れていたのです。誰も消しやしなかったのですよ。僕がスイッチをひねったために光が出たと思ったのは間違いで、あの時、あわてて電球を動かしたので、一度切れたタングステンがつながったのですよ。〔文末の註（2）を見よ〕スイッチに僕の指紋しかなかったのはあたりまえなのです。あの晩、君は障子のすき間から電灯のついているのを見たといいましたね。とすれば、電球の切れたのは、そのあとですよ。古い電球は、どうもしないでも、ひとりでに切れることがありますからね。それから、犯人の着物の色のことですが、これは僕が説明するよりも……」

彼はそういって、彼の身辺の書物の山を、あちらこちら発掘していたが、やがて、一冊の古ぼけた洋書を掘りだしてきた。

「君、これを読んだことがありますか、ミュンスターベルヒの『心理学と犯罪』という本ですが、この『錯覚』という章の冒頭を十行ばかり読んでごらんなさい」

私は、彼の自信ありげな議論を聞いているうちに、だんだん私自身の失敗を意識しはじめていた。で、言われるままにその書物を受け取って、読んでみた。そこには大体次のようなことが書いてあった。

かつて一つの自動車犯罪事件があった。法廷において、真実を申し立てると宣誓した証人の一人は、問題の道路は全然乾燥してほこり立っていたと主張し、今一人の証人は、雨降りあげくで、道路はぬかるんでいたと証言した。一人は、問題の自動車は徐行していたと言い、他の一人は、あのように早く走っている自動車を見たことがないと述べた。また、前者は、その村道には人が二、三人しかいなかったと言い、後者は、男や女や子供の通行人がたくさんあったと陳述した。この二人の証人は共に尊敬すべき紳士で、事実を曲弁したとて、なんの利益があるはずもない人々であった。

私がそれを読み終るのを待って明智はさらに本のページをくりながらいった。

「これは実際あったことですが、今度は、この『証人の記憶』という章があるでしょう。その中ほどのところに、あらかじめ計画して実験した話があるのですよ。ちょうど着物の色のことが出てますから、面倒でしょうが、まあちょっと読んでごらんなさい」

それは左のような記事であった。

(前略)一例をあげるならば、一昨年(この書物の出版は一九一一年)ゲッティンゲンにおいて、法律家、心理学者及び物理学者よりなる、或る学術上の集会が催されたことがある。したがって、そこに集まったのはみな綿密な観察に熟練した人たちばかりであった。その町

には、あたかもカーニヴァルのお祭り騒ぎが演じられていたが、この学究的な会合の最中に、突然戸がひらかれて、けばけばしい衣裳をつけた一人の道化が狂気のように飛び込んできた。見ると、その後から一人の黒人がピストルを持って追っかけてくるのだ。ホールのまん中で、彼らはかたみがわりに、おそろしい言葉をどなり合ったが、やがて、道化の方がバッタリ床に倒れると、黒人はその上におどりかかった、そしてポンとピストルの音がした。と、たちまち彼らは二人とも、かき消すように室を出て行ってしまった。全体の出来事が二十秒とはかからなかった。人々はむろん非常に驚かされた。座長のほかには、誰一人、それらの言葉や動作が、あらかじめ予習されていたこと、その光景が写真に撮られたことなどを悟ったものはなかった。で、座長が、これはいずれ法廷に持ち出される問題だからというので、会員各自に正確な記録を書くことを頼んだのは、ごく自然に見えた（中略、このあいだに、彼らの記録がいかに間違いにみちていたかを、パーセンテイジを示してしるしてある）。黒人が頭に何もかぶっていなかったことを言いあてたのは四十人のうちでたった四人きりで、ほかの人たちは、中折帽子をかぶっていたと書いたものもあれば、シルクハットだったと書くものもあるという有様だった。着物についても、ある者は赤だと言い、あるものは茶色だと言い、あるものは縞だと言い、あるものはコーヒー色だと言い、その他さまざまの色合いが彼のために発明せられた。ところが、黒人は実際は、白ズボンに黒の上衣を着て、大きな赤のネクタイを結んでいたのである。（後略）

「ミュンスターベルヒが賢くも説破した通り」と明智ははじめた。「人間の観察や人間の記憶なんて、実にたよりないものですよ。この例にあるような学者たちでさえ、服の色の見分けがつかなかったのです。私が、あの晩の学生たちも着物の色を思い違えたと考えるのが無理でしょうか。彼らは何物かを見たかもしれません。しかしその者は棒縞の着物なんか着ていなかったのです。むろん僕ではなかったのです。格子のすき間から棒縞の浴衣を思いついた君の着眼は、なかなか面白いには面白いですが、あまりおあつらえ向きすぎるじゃありませんか。少なくとも、そんな偶然の符合を信ずるよりは、君は、僕の潔白を信じてくれるわけにはいかないでしょうか。さて最後に、ソバ屋の手洗いを借りた男のことですがね。この点は僕も君と同じ考えだったのです。どうも、あの旭屋のほかに犯人の通路はないと思ったのです。で、僕もあすこへ行って調べてみましたが、その結果は、残念ながら君とは正反対の結論に達したのです。実際は手洗いを借りた男なんてなかったのですよ」

読者もすでに気づかれたであろうように、明智はこうして、証人の申立てを否定し、犯人の指紋を否定し、犯人の通路をさえ否定して、自分の無罪を証拠だてようとしているが、しかしそれは同時に、犯罪そのものをも否定することになりはしないか。私は彼が何を考えているのか少しもわからなかった。

「で、君には犯人の見当がついているのですか」

「ついてますよ」彼は頭をモジャモジャやりながら答えた。「僕のやり方は、君とは少し違うのです。物質的な証拠なんてものは、解釈の仕方でどうにでもなるものですよ。いちばん

いい探偵法は、心理的に人の心の奥底を見抜くことです。だが、これは探偵自身の能力の問題ですがね。ともかく、僕は今度はそういう方面に重きをおいてやってみましたよ。

最初僕の注意をひいたのは、古本屋の細君のからだじゅうに生傷のあったことです。それから間もなく、僕はソバ屋の細君のからだにも同じような生傷があるということを聞き込みました。これは君も知っているでしょう。しかし、彼女らの夫たちはそんな乱暴者でもなさそうです。古本屋にしても、ソバ屋にしても、おとなしそうな物分りのいい男なんですからね。僕はなんとなく、そこに或る秘密が伏在しているのではないかと疑わないではいられなかったのです。で、僕はまず古本屋の主人をとらえて、彼の口からその秘密を探り出そうとしました。僕が死んだ細君の知合いだというので、彼もいくらか気を許していましたから、それは比較的らくにいきました。そして、ある変な事実を聞き出すことができたのです。ところが、今度はソバ屋の主人ですが、彼はああ見えてもなかなかしっかりした男ですから、探り出すのにかなり骨が折れましたよ。でも、僕はある方法によって、うまく成功したのです。

君は、心理学上の連想診断法が、犯罪捜査の方面にも利用されはじめたのを知っているでしょう。たくさんの簡単な刺戟語を与えて、それに対する嫌疑者の観念連合の遅速をはかる、あの方法です。しかし、あれは心理学者のいうように、犬だとか家だとか川だとか、簡単な刺戟語には限らないし、そしてまた、常にクロノスコープの助けを借りる必要もないと、僕は思いますよ。連想診断のコツを悟ったものにとっては、そのような形式はたいして必要で

はないのです。それが証拠に、昔の名判官とか名探偵とかいわれた人は、心理学が今のように発達しない以前から、ただ彼らの天稟によって、知らずしらずのあいだにこの心理学的方法を実行していたではありませんか。大岡越前守なども確かにその一人ですよ。小説でいえば、ポーの『ル・モルグ』のはじめに、デュパンが友だちのからだの動き方ひとつによって、その心に思っていることを言い当てるところがありますね。ドイルもそれをまねて、『レジデント・ペーシェント』の中で、ホームズに同じような推理をやらせてますが、これらはみな、或る意味の連想診断ですからね。心理学者の色々な機械的方法は、ただこうした天稟の洞察力を持たぬ凡人のために作られたものにすぎませんよ。話がわき道にはいりましたが、僕はソバ屋の主人にいろいろの話をしかけてみました。それもごくつまらない世間話をね。そして、彼の心理的反応を研究したのです。しかし、これは非常にデリケートな心理の問題で、それに可なり複雑してますから、くわしいことはいずれゆっくり話すとして、ともかくその結果、僕はひとつの確信に到達しました。つまり、犯人を見つけたのです。

しかし、物質的な証拠というものがひとつもないのです。だから、警察に訴えるわけにもいきません。よし訴えてもおそらく取り上げてくれないでしょう。それに、僕が犯人を知りながら、手をつかねて見ているもう一つの理由は、この犯罪には少しも悪意がなかったという点です。変な言い方ですが、この殺人事件は、犯人と被害者と同意の上で行なわれたのです。いや、ひょっとしたら被害者自身の希望によって行なわれたのかもしれません」

私はいろいろ想像をめぐらしてみたけれど、どうにも彼の考えていることがわかりかねた。

私は自分の失敗を恥じることも忘れて、彼のこの奇怪な推理に耳を傾けた。

「で、僕の考えをいいますとね。殺人者は旭屋の主人なのです。彼は罪跡をくらますために、あんな手洗いを借りた男のことを言ったのですよ。いや、しかし、それは何も彼の創案でもなんでもない。われわれが悪いのです。君にしろ僕にしろ、そういう男がなかったかと、こちらから問いを構えて彼を教唆したようなものですからね。それに、彼は僕たちを刑事かなんかと思い違えていたのです。では、彼はなぜに殺人罪をおかしたか……僕はこの事件によって、うわべはきわめて何気なさそうなこの人生の裏面に、どんなに意外な陰惨な秘密が隠されているかということを、まざまざと見せつけられたような気がします。それは実にあの悪夢の世界でしか見出すことのできないような種類のものだったのです。

旭屋の主人というのは、マルキ・ド・サドの流れをくんだ、ひどい残虐色情者で、なんという運命のいたずらでしょう。一軒おいて隣に、女のマゾッホを発見したのです。古本屋の細君は彼におとらぬ被虐色情者だったのです。そして、彼らは、そういう病者に特有の巧みさをもって、誰にも見つけられずに、姦通していたのです――君、僕が合意の殺人だといった意味がわかるでしょう――彼らは、最近まではおのおの、そういう趣味を解しない夫や妻によって、その病的な欲望を、かろうじてみたしていました。古本屋の細君にも、旭屋の細君にも、同じような生傷のあったのはその証拠です。しかし、彼らがそれに満足しなかったのはいうまでもありません。ですから眼と鼻の近所に、お互の探し求めている人間を発見した時、彼らのあいだに非常に敏速な了解の成立したことは想像にかたくないではありません

か。ところがその結果は、運命のいたずらが過ぎたのです。彼らの、パッシヴとアクティヴの力の合成によって、狂態が漸次倍加されて行きました。そして、ついにあの夜、この、彼らとても決して願わなかった事件をひき起こしてしまったわけなのです……」

私は、明智の異様な結論を聞いて、思わず身震いした。これはまあ、なんという事件だ！

そこへ、下の煙草屋のおかみさんが、夕刊を持ってきた。明智はそれを受け取って、社会面を見ていたが、やがて、そっと溜息をついていった。

「ああ、とうとう耐えきれなくなったと見えて、自首しましたよ。妙な偶然ですね。ちょうどそのことを話している時に、こんな報道に接するとは」

私は彼の指さすところを見た。そこには小さい見出しで、十行ばかりソバ屋の主人が自首したことがしるされてあった。

〔註、1〕この小説の書かれた大正時代には、メーターを取りつけない小さな家の電灯は、昼間は、電灯会社の方で、変電所のスイッチを切って消灯したものである。

〔註、2〕当時の電球はタングステンの細い線を鼓の紐のように張ったもので、一度切れても、また偶然つながることがよくあった。

心理試験

1

蕗屋清一郎が、なぜこれからしるすような恐ろしい悪事を思い立ったか、その動機については詳しいことはわからぬ。またたとえわかったとしても、このお話には大して関係がないのだ。彼がなかば苦学みたいなことをして、ある大学に通っていたところをみると、学資の必要に迫られたのかとも考えられる。彼は稀に見る秀才で、しかも非常な勉強家だったから、学資を得るために、つまらぬ内職に時を取られて、好きな読書や思索が充分できないのを残念に思っていたのは確かだ。だが、そのくらいの理由で、人間はあんな大罪を犯すものだろうか。おそらく彼は先天的の悪人だったのかもしれない。そして、学資ばかりでなく、ほかのさまざまな欲望をおさえかねたのかもしれない。それはともかく、彼がそれを思いついてから、もう半年になる。そのあいだ、彼は迷いに迷い、考えに考えた挙句、結局やっつけることに決心したのだ。

ある時、彼はふとしたことから、同級生の斎藤勇と親しくなった。それが事の起こりだった。はじめはむろんなんの成心があったわけではなかった。しかし中途から、彼はあるおぼろげな目的を抱いて斎藤に接近して行った。そして、接近して行くにしたがって、そのおぼろげな目的がだんだんはっきりしてきた。

斎藤は一年ばかり前から、山の手の或る淋しい屋敷町の素人屋に部屋を借りていた。その家のあるじは、官吏の未亡人で、といっても、もう六十に近い老婆だったが、亡夫の残して行った数軒の借家から上がる利益で、充分生活ができるにもかかわらず、子供を恵まれなかった彼女は、「ただもうお金がたよりだ」といって、確実な知り合いに小金を貸したりして、少しずつ貯金をふやして行くのをこの上もない楽しみにしていた。斎藤に部屋を貸したのも、一つは女ばかりの暮らしでは不用心だからという理由もあっただろうが、一方では、部屋代だけでも、毎月の貯金額がふえることを勘定に入れていたに違いない。そして、彼女は、今どきあまり聞かぬ話だけれど、守銭奴の心理は、古今東西を通じて同じものと見えて、表面的な銀行預金のほかに、莫大な現金を、自宅のある秘密な場所へ隠しているという噂だった。

蕗屋はこの金に誘惑を感じたのだ。あのおいぼれが、そんな大金を持っているということになんの価値がある。それをおれのような未来のある青年の学資に使用するのは、きわめて合理的なことではないか。簡単に言えば、これが彼の理論だった。そこで彼は、斎藤を通じてできるだけ老婆についての知識を得ようとした。その大金の秘密な隠し場所を探ろうとした。しかし彼は、ある時、斎藤が偶然その隠し場所を発見したという話を聞くまでは、別に確定的な考えを持っていたわけでもなかった。

「君、あの婆さんにしては感心な思いつきだよ、たいてい縁の下とか、天井裏とか、金の隠し場所なんてきまっているものだが、婆さんのはちょっと意外な場所なのだよ。あの奥座敷の床の間に、大きな松の植木鉢が置いてあるだろう。あの植木鉢の底なんだよ。その隠し場

所がさ。どんな泥棒だってまさか植木鉢に金が隠してあろうとは気づくまいからね。婆さんは、まあ言ってみれば、守銭奴の天才なんだね」

その時、斎藤はこう言って面白そうに笑った。

それ以来、蕗屋の考えは少しずつ具体的になって行った。老婆の金を自分の学資に振り替える径路の一つ一つについて、あらゆる可能性を勘定に入れた上、最も安全な方法を考え出そうとした。それは予想以上に困難な仕事だった。これに比べれば、どんな複雑な数学の問題だって、なんでもなかった。彼は先にも、いったように、その考えを纏めるだけのために半年をついやしたのだ。

難点は、言うまでもなく、いかにして刑罰をまぬがれるかということにあった。倫理上の障礙、即ち良心の呵責というようなことは、彼にはさして問題ではなかった。彼はナポレオンの大掛りな殺人を罪悪とは考えないで、むしろ讃美すると同じように、才能のある青年が、その才能を育てるために、棺桶に片足ふみ込んだおいぼれを犠牲に供することを、当然のことだと思った。

老婆はめったに外出しなかった。終日黙々として奥の座敷に丸くなっていた。たまに外出することがあっても、留守中は、田舎者の女中が彼女の命を受けて正直に見張り番を勤めた。蕗屋のあらゆる苦心にもかかわらず、老婆の用心には少しの隙もなかった。老婆と斎藤のいない時を見はからって、この女中をだまして使いに出すか何かして、その隙に例の金を植木鉢から盗み出したらと、蕗屋は最初そんなふうに考えてみた。しかしそれは甚だ無分別な考

えだった。たとえ少しのあいだでも、あの家にただ一人でいたことがわかっては、もうそれだけで充分嫌疑をかけられるではないか。彼はこの種のさまざまな愚かな方法を、考えては打ち消し、考えては打ち消すのに、たっぷり一カ月をついやした。それはたとえば、斎藤か、女中か、または普通の泥棒が盗んだと見せかけるトリックだとか、女中一人の時に、少しも音を立てないで忍び込んで、彼女の眼にふれないように盗み出す方法だとか、夜中、老婆の眠っているあいだに仕事をする方法だとか、その他考え得るあらゆる場合を彼は考えた。しかし、どれにもこれにも、発覚の可能性が多分に含まれていた。

どうしても老婆をやっつけるほかはない、彼はついにこの恐ろしい結論に達した。老婆の金がどれほどあるかよくは分らないけれど、いろいろの点から考えて、殺人の危険を冒してまで執着するほど大した金額だとは思われぬ。たかの知れた金のために、なんの罪もない一人の人間を殺してしまうというのは、あまりに残酷過ぎはしないか。しかし、たとえそれが世間の標準から見ては、大した金額でなくとも、貧乏な蕗屋には充分満足できるのだ。のみならず、彼の考えによれば、問題は金額の多少ではなくて、ただ犯罪の発覚を絶対に不可能ならしめることだった。そのためにはどんな大きな犠牲を払っても少しも差支えないのだ。

殺人は、一見、単なる窃盗よりは幾層倍も危険な仕事のように見える。だが、それは一種の錯覚にすぎないのだ。なるほど、発覚することを予想してやる仕事なれば、殺人はあらゆる犯罪のうちで最も危険に違いない。しかし、若し犯罪の軽重よりも、発覚の難易を目安にして考えたならば、場合によっては（たとえば蕗屋の場合の如きは）むしろ窃盗の方があぶ

ない仕事なのだ。これに反して、悪事の発見者をバラしてしまう方法は、残酷なかわりに心配がない。昔からえらい悪人は平気でズバリズバリと人殺しをやっている。彼らがなかなかつかまらなかったのは、かえってこの大胆な殺人のお蔭なのではなかろうか。

では、老婆をやっつけるとして、それに果たして危険がないか。この問題にぶっつかってから、蕗屋は数カ月のあいだ考え通した。その長いあいだに、彼がどんなふうに考えを育てて行ったか。それは物語が進むにしたがって、読者にわかることだから、ここには省くが、ともかく、彼は、到底普通人の考え及ぶこともできないほど、微に入り細をうがった分析並びに総合の結果、塵ひと筋の手抜かりもない、絶対に安全な方法を考え出したのだ。

今はただ、時機のくるのを待つばかりだった。が、それは案外早くきた。ある日、斎藤は学校関係のことで、女中は使いに出されて、二人とも夕方まで決して帰宅しないことが確かめられた。それはちょうど蕗屋が最後の準備行為を終った日から二日目だった。その最後の準備行為というのは（これだけは前もって説明しておく必要がある）、かつて斎藤に例の隠し場所を聞いてから、もう半年も経過した今日、それがまだ当時のままであるかどうかを確かめるための或る行為だった。彼はその日（即ち老婆殺しの二日前）斎藤を訪ねたついでに、はじめて老婆の部屋である奥座敷にはいって、彼女といろいろ世間話を取りかわした。彼はその世間話を徐々にひとつの方向へ落として行った。そして、しばしば老婆の財産のこと、それを彼女がどこかへ隠しているという噂のあることなぞを口にした。彼は「隠す」という言葉の出るごとに、それとなく老婆の眼を注意した。すると、彼女の眼は、彼の予期した通

り、その都度、床の間の植木鉢にそっと注がれているのだ。蕗屋はそれを数回繰り返して、もはや少しも疑う余地のないことを確かめることができた。

2

さて、いよいよ当日である。彼は大学の制服制帽の上に学生マントを着用し、ありふれた手袋をはめて目的の場所に向かった。彼は考えに考えた上、結局変装しないことにきめたのだ。もし変装をするとすれば、材料の買入れ、着換えの場所、その他さまざまの点で、犯罪発見の手掛りを残すことになる。それはただ物事を複雑にするばかりで、少しも効果がないのだ。犯罪の方法は、発覚のおそれのない範囲においては、できる限り単純に、且つあからさまにすべきだと言うのが、彼の一種の哲学だった。要は、目的の家にはいるところを見られさえしなければいいのだ。たとえその家の前を通ったことがわかっても、それは少しもさしつかえない。彼はよくその辺を散歩することがあるのだから、当日も散歩をしたばかりだと言い抜けることができる。と同時に、一方において、彼が目的の家に行く途中で知合いの人に見られた場合（これはどうしても勘定に入れておかねばならぬ）、妙な変装をしている方がいいか、ふだんの通り制服制帽でいる方がいいか、考えてみるまでもないことだ。犯罪の時間についても、待ちさえすれば都合のよい夜が——斎藤も女中も不在の夜が——あることはわかっているのに、なぜ彼は危険な昼間を選んだか。これも服装の場合と同じく、犯罪

から不必要な秘密性を除くためだった。

しかし、目的の家の前に立った時だけは、さすがの彼も、普通の泥棒の通りに、いやおそらく彼ら以上に、ビクビクして前後左右を見廻した。老婆の家は、両隣とは生垣で境した一軒建ちで、向こう側には、ある富豪の邸宅の高いコンクリート塀が、ずっと一丁もつづいていた。淋しい屋敷町だから、昼間でも時々はまるで人通りのないことがある。蕗屋がそこへたどりついた時も、いいあんばいに、通りには犬の子一匹見当らなかった。彼は、普通にひらけば、ばかにひどい金属性の音のする格子戸を、ソロリソロリと少しも音を立てないように開閉した。そして、玄関の土間から、ごく低い声で（これは隣家へ用心だ）案内を乞うた。老婆が出てくると、彼は、斎藤のことについて少し内密に話したいことがあるという口実で、奥の間に通った。

座が定まると間もなく「あいにく女中がおりませんので」と断わりながら、老婆はお茶を汲みに立った。蕗屋はそれを、今か今かと待ち構えていたのだ。彼は老婆が襖をあけるために少し身をかがめた時、やにわにうしろから抱きついて、両腕を使って（手袋ははめていたけれど、なるべく指の痕をつけまいとしてだ）力まかせに首を絞めた。老婆は喉のところでグッというような音を出したばかりで、大してもがきもしなかった。ただ苦しまぎれに空をつかんだ指先が、そこに立ててあった屏風に触れて、少しばかり傷をこしらえた。それは二枚折りの時代のついた金屏風で、極彩色の六歌仙が描かれていたが、そのちょうど小野の小町の顔のところが、無残にも、ちょっとばかり破れたのだ。

老婆の息が絶えたのを見定めると、彼は死骸をそこへ横にして、ちょっと気になる様子で、その屏風の破れを眺めた。しかしよく考えてみれば、少しも心配することはない。こんなものがなんの証拠になるはずもないのだ。そこで、彼は目的の床の間へ行って、例の松の木の根元を持って、土もろともスッポリと植木鉢から引き抜いた。予期した通り、その底には油紙で包んだものが入れてあった。彼は落ちつきはらって、その包みを解いて、右のポケットから一つの新らしい大型の札入れを取り出し、紙幣を半分ばかり（充分五千円はあった）その中に入れると、財布を元のポケットに納め、残った紙幣は油紙に包んで前の通りに植木鉢の底へ隠した。むろん、これは金を盗んだという証跡をくらますためだ。老婆の貯金の高は、老婆自身が知っていたばかりだから、それが半分になったとて誰も疑うはずはないのだ。

それから、彼はそこにあった座蒲団を丸めて老婆の胸にあてがい（これは血潮の飛ばぬ用心だ）、右のポケットから一挺のジャックナイフを取り出して刃をひらくと、心臓めがけてグサッと突き刺し、グイと一つえぐっておいて引き抜いた。そして、同じ座蒲団の布でナイフの血のりを綺麗に拭き取り、元のポケットへ納めた。彼は、絞め殺しただけでは、蘇生のおそれがあると思ったのだ。つまり昔のとどめを刺すというやつだ。では、なぜ最初から刃物を利用しなかったかというと、そうしては、ひょっとして自分の着物に血潮がかかるかもしれないことをおそれたのだ。

ここでちょっと、彼が紙幣を入れた札入れと、今のジャックナイフについて説明しておかなければならない。彼は、それらを、この目的だけに使うために、ある縁日の露店で買い求

めたのだ。彼はその縁日の最も賑わう時分を見計らって、最も客のこんでいる店を選び、正札通りの小銭を投げ出して、品物を取ると、商人はもちろん、たくさんの客たちも、彼の顔を記憶する暇がなかったほど、非常に素早く姿をくらました。そして、この品物は両方とも、ごくありふれた、なんの目印もあり得ないようなものだった。

さて、蕗屋は、充分注意して少しも手掛りが残っていないのを確かめた後、襖のしまりも忘れないで、ゆっくりと玄関へ出てきた。彼はそこで靴の紐を締めながら、足跡のことを考えてみた。だが、その点はさらに心配がなかった。玄関の土間は堅いシックイだし、表の通りは天気つづきでカラカラに乾いていた。あとにはもう、格子戸をあけてそとへ出ることが残っているばかりだ。だが、ここでしくじるようなことがあっては、すべての苦心が水の泡だ。彼はじっと耳を澄まして、辛抱強く表通りの足音を聞こうとした……しんとしてなんの気はいもない。どこかの家で琴を弾じる音がコロリンシャンと至極のどかに聞こえているばかりだ。彼は思い切って、静かに格子戸をあけた。そして、なにげなく、今いとまをつげたお客様だというような顔をして、往来に出た。思った通り、そこには人影もなかった。

その一劃は、どの通りも淋しい屋敷町だった。老婆の家から四、五丁隔たったところに、何かの神社の古い石垣が往来に面してずっと続いていた。蕗屋は、誰も見ていないのを確かめた上、そこの石垣の隙間から、兇器のジャックナイフと血のついた手袋とを落とし込んだ。そして、いつも散歩の時には立ち寄ることにしていた、付近の小さい公園を目ざしてブラブラと歩いて行った。彼は公園のベンチに腰をかけ、子供たちがブランコに乗って遊んでいる

のを、いかにものどかな顔をして眺めながら、長い時間をすごした。

帰りがけに、彼は警察署へ立ち寄った。そして、

「今しがた、この札入れを拾ったのです。百円札がいっぱいはいっているようですから、お届けします」

と言いながら、例の札入れをさし出した。彼は警官の質問に答えて、拾った場所と時間と（もちろんそれは可能性のあるでたらめなのだ）、自分の住所姓名と（これはほんとうの）を答えた。そして、印刷した紙に彼の姓名や金額などを書き入れた受取証みたいなものを貰った。なるほど、これは非常に迂遠な方法には違いない。しかし安全という点では最上だ。老婆の金は（半分になったことは誰も知らない）ちゃんと元の場所にあるのだから、この札入れの遺失主は絶対に出るはずがない。一年の後には間違いなく蕗屋の手に落ちるのだ。そして、誰憚らず大っぴらに使えるのだ。彼は考え抜いた挙句この手段を採った。もしこれをどこかへ隠しておくとする。どうした偶然から他人に横取りされないものでもない。自分で持っているか。それはもう考えるまでもなく危険なことだ。のみならず、この方法によれば万一老婆が紙幣の番号を控えていたとしても、少しも心配がないのだ（もっともこの点はできるだけ探って、だいたい安心はしていたけれど）。

「まさか、自分の盗んだ品物を警察へ届けるやつがあろうとは、ほんとうにお釈迦さまでもご存じあるまいて」

彼は笑いをかみ殺しながら、心の中でつぶやいた。

翌日、蕗屋は、下宿の一室で、常と変らぬ安眠から眼覚めると、あくびをしながら、枕元に配達されていた新聞をひろげて、社会面を見渡した。彼はそこに意外な事実を発見してちょっと驚いた。だが、それは決して心配するような事柄ではなく、かえって彼のためには予期しない仕合わせだった。というのは、友人の斎藤が嫌疑者として挙げられたのだ。嫌疑を受けた理由は、彼が身分不相応の大金を所持していたからだと書いてある。

「おれは斎藤の最も親しい友だちなのだから、ここで警察へ出頭して、いろいろ問い糺すのが自然だな」

蕗屋はさっそく着物を着更えると、あわてて警察署へ出掛けた。それは彼がきのう札入れを届けたのと同じ署だ。なぜ札入れを届けるのを管轄の違う警察にしなかったか、いやそれとてもまた、彼一流の無技巧主義でわざとしたことなのだ。彼は過不足のない程度に心配そうな顔をして、斎藤に会わせてくれと頼んだ。しかし、それは予期した通り許されなかった。そこで、彼は斎藤が嫌疑を受けたわけをいろいろと問い糺して、ある程度まで事情を明らかにすることができた。

蕗屋は次のように想像した。

きのう、斎藤は女中よりも先に家へ帰った。それは蕗屋が目的を果たして立ち去ると間もなくだった。そして、当然、老婆の死骸を発見した。しかし、ただちに警察に届ける前に、彼はあることを思いついたに違いない。というのは、例の植木鉢だ。もしこれが盗賊の仕業なれば、或いはあの中の金がなくなっていはしまいか。多分それは、ちょっとした好奇心か

らだったろう。彼はそこを調べてみた。ところが案外にも金の包みがちゃんとあったのだ。それを見て斎藤が悪心を起こしたのは、実に浅はかな考えではあるが、無理もないことだ。その隠し場所は誰も知らないこと、老婆を殺した犯人が盗んだという解釈がくだされるに違いないこと、こうした事情は、誰にしても避けがたい強い誘惑に違いない。それから彼はどうしたか。警察の話では、なにくわぬ顔をして人殺しのあったことを警察へ届け出たということだ。ところが、なんという無分別な男だ。彼は盗んだ金を腹巻のあいだに入れたまま平気でいたのだ。まさかその場で身体検査をされようとは想像しなかったとみえる。

「だが、待てよ。斎藤は一体どういうふうに弁解するだろう。次第によっては危険なことになりはしないかな」蕗屋はそれをいろいろと考えてみた。「彼は金を見つけられた時、『自分のだ』と答えたかもしれない。なるほど老婆の財産の多寡や隠し場所は誰も知らないのだから、一応はその弁明も成り立つであろう。しかし、金額があまり多すぎるではないか。で、結局、彼は事実を申し立てることになるだろう。でも、裁判所がそれを承認するかな。ほかに嫌疑者が出ればともかく、それまでは彼を無罪にすることは先ずあるまい。うまく行けば彼が殺人罪に問われるかも知れたものではない。そうなればしめたものだが……ところで、予審判事が彼を問い詰めて行くうちに、いろいろな事実がわかってくるだろうな。たとえば、彼が老婆の金の隠し場所をおれに話したことだとか、兇行の二日前におれが老婆の部屋にはいって話し込んだことだとか、さては、おれが貧乏で学資にも困っていることだとか」

しかし、それらは皆、蕗屋がこの計画を立てる前にあらかじめ勘定に入れておいたことば

かりだった。そして、どんなに考えても、斎藤の口からそれ以上彼にとって不利な事実が引き出されようとは考えられなかった。

蕗屋は警察から帰ると、遅れた朝食をとって（その時食事を運んできた女中に事件について話して聞かせたりした）、いつもの通り学校へ出た。学校では斎藤の噂で持ち切りだった。彼はなかば得意げにその噂話の中心になってしゃべった。

3

さて読者諸君、探偵小説というものの性質に通暁せられる諸君は、お話は決してこれきりで終らぬことを百も御承知であろう。いかにもその通りである。実を言えば、ここまではこの物語の前提にすぎないので、作者が是非、諸君に読んでもらいたいと思うのは、これから後なのである。つまりかくも企らんだ蕗屋の犯罪がいかにして発覚したかという、そのいきさつについてである。

この事件を担当した予審判事（註、当時の制度）は有名な笠森氏であった。彼は普通の意味で名判官だったばかりでなく、ある多少風変りな趣味を持っているので一そう有名だった。それは彼が一種の素人心理学者だったことで、彼は普通のやり方ではどうにも判断のくだしようがない事件に対しては、最後に、その豊富な心理学上の知識を利用して、しばしば奏功した。彼は経歴こそ浅く、年こそ若かったけれど、地方裁判所の一予審判事としては、もっ

たいないほどの俊才だった。今度の老婆殺し事件も、笠森判事の手にかかれば、もうわけなく解決することと、誰しも考えていた。当の笠森氏自身も同じように考えた。いつものように、この事件も、予審廷ですっかり調べ上げて、公判の場合には、いささかの面倒も残らぬように処理してやろうと思っていた。

ところが、取調べを進めるにしたがって、事件の困難なことがだんだんわかってきた。警察側は単純に斎藤勇の有罪を主張した。笠森判事とても、その主張に一理あることを認めないではなかった。というのは、生前老婆の家に出入りした形跡のある者は、彼女の債務者であろうが、借家人であろうが、単なる知合いであろうが、残らず召喚して、綿密に取調べたにもかかわらず、一人として疑わしい者はないのだ（蕗屋清一郎ももちろんそのうちの一人だった）。ほかに嫌疑者が現われぬ以上、さしずめ最も疑うべき斎藤勇を犯人と判断するほかはない。のみならず、斎藤にとって最も不利だったのは、彼が生来気の弱いたちで、一も二もなく調べ室の空気に恐れをなしてしまって、訊問に対してもハキハキ答弁のできなかったことだ。のぼせ上がった彼は、しばしば以前の陳述を取り消したり、当然知っているはずの事を忘れてしまったり、言わずともの不利な申立てをしたり、あせればあせるほど、ますます嫌疑を深くするばかりだった。それというのも、彼には老婆の金を盗んだという弱味があったからで、それさえなければ、相当頭のいい斎藤のことだから、いかに気が弱いといって、あのようなへまなまねはしなかったであろう。彼の立場は実際同情すべきものだった。しかし、それでは斎藤を殺人犯と認めるかというと、笠森氏にはどうもその自信がなかった。

そこにはただ疑いがあるばかりなのだ。本人はもちろん自白せず、ほかにこれという確証もなかった。

こうして、事件から一カ月が経過した。予審はまだ終結しない。判事は少しあせり出していた。ちょうどその時、老婆殺しの管轄の警察署長から、彼のところへ一つの耳よりな報告がもたらされた。それは、事件の当日五千二百何十円在中の一個の札入れが、老婆の家から程遠からぬ××町において拾得されたが、その届け主が、嫌疑者の斎藤の親友である蕗屋清一郎という学生だったことを、係りの疎漏から今まで気づかずにいた。が、その大金の遺失者が一カ月たっても現われぬところをみると、そこに何か意味がありはしないか。念のために御報告するということだった。

困り抜いていた笠森判事は、この報告を受け取って、一道の光明を認めたように思った。さっそく蕗屋清一郎召喚の手続が取り運ばれた。ところが、蕗屋を訊問した結果は、判事の意気込みにもかかわらず、大して得るところもないように見えた。なぜ事件の当時取り調べた際、その大金拾得の事実を申立てなかったかという訊問に対して、彼は、それが殺人事件に関係があるとは思わなかったからだと答えた。この答弁には充分理由があった。老婆の財産は斎藤の腹巻から発見されたのだから、それ以外の金が、殊に往来に遺失されていた金が、老婆の財産の一部だと誰が想像しよう。

しかし、これが偶然であろうか。事件の当日、現場からあまり遠くない所で、しかも第一の嫌疑者の親友である男が（斎藤の申立てによれば彼は植木鉢の隠し場所をも知っているの

だ）この大金を拾得したというのが、これが果たして偶然であろうか。判事はそこに何かの意味を発見しようとして悶えた。判事の最も残念に思ったのは、老婆が紙幣の番号を控えておかなかったことだ。それさえあれば、この疑わしい金が、事件に関係があるかないかも、ただちに判明するのだが。「どんな小さなことでも、何かひとつ確かな手掛りを摑みさえすればなあ」判事は全才能を傾けて考えた。現場の取り調べも幾度となく繰り返された。老婆の親族関係も充分調査した。しかし、なんの得るところもない。そうしてまた半月ばかりが徒らに経過した。

たったひとつの可能性は、と判事は考えた。蕗屋が老婆の貯金を半分盗んで、残りを元通りに隠しておき、盗んだ金を札入れに入れて、往来で拾ったように見せかけたと推定することだ。だがそんなばかなことがあり得るだろうか。その札入れもむろん調べてみたけれど、これという手掛りもない。それに、蕗屋は平気で、当日散歩のみちすがら、老婆の家の前を通ったと申立てているではないか。犯人にこんな大胆なことが言えるものだろうか。第一、最も大切な兇器の行方がわからぬ。蕗屋の下宿の家宅捜索の結果は、何物をももたらさなかったのだ。しかし、兇器のことをいえば、斎藤とても同じではないか。では一体だれを疑ったらいいのだ。

そこには確証というものが一つもなかった。署長らの言うように、斎藤を疑えば斎藤らしくもある。だが、また、蕗屋とても疑って疑えぬことはない。ただ、わかっているのは、この一カ月半のあらゆる捜索の結果、彼ら二人を除いては、一人の嫌疑者も存在しないという

ことだった。万策尽きた笠森判事はいよいよ奥の手を出す時だと思った。二人の嫌疑者に対して、彼の従来しばしば成功した心理試験を施そうと決心した。

4

蕗屋清一郎は、事件の二、三日後に第一回目の召喚を受けた際、係りの予審判事が有名な素人心理学者の笠森氏だということを知った。そして、当時既にこの最後の場合を予想して少なからず狼狽した。さすがの彼も、日本に、たとえ一個人の道楽気からとはいえ、心理試験などというものが行なわれているという事実を、うっかり見のがしていた。彼は種々の書物によって、心理試験の何物であるかを、知り過ぎるほど知っていたのだ。

この大打撃に、もはや平気を装って通学をつづける余裕を失った彼は、病気と称して下宿の一室にとじこもった。そして、ただ、いかにしてこの難関を切り抜けるべきかを考えた。ちょうど、殺人を実行する以前にやったと同じ、或いはそれ以上の、綿密と熱心とをもって考えつづけた。

笠森判事は果たしてどのような心理試験を行なうであろうか。それは到底予知することができない。で、蕗屋は知っている限りの方法を思い出して、そのひとつひとつについて、なんとか対策がないものかと考えてみた。しかし、元来心理試験というものが、虚偽の申立てをあばくためにできているのだから、それを更に偽るということは、理論上不可能らしくも

あった。

蕗屋の考えによれば、心理試験はその性質によって二つに大別することができた。ひとつは純然たる生理上の反応によるもの、今ひとつは言葉を通じて行なわれるものだ。前者は、試験者が犯罪に関連したさまざまの質問を発して、被験者の身体上の微細な反応を、適当な装置によって記録し、普通の訊問によっては到底知ることのできない真実を摑もうとする方法だ。それは、人間は、たとえ言葉の上で、または顔面表情の上で、嘘をついても、神経そのものの興奮は隠すことができず、それが微細な肉体上の徴候として現われるものだという理論に基づくので、その方法としては、たとえば automatograph などの力を借りて、手の微細な動きを発見する方法、或る手段によって眼球の動き方を確かめる方法、pneumograph によって呼吸の深浅遅速を計る方法、sphygmograph によって脈搏の高低遅速を計る方法、plethysmograph によって四肢の血量を計る方法、galvanometer によって手の平の微細なる発汗を発見する方法、膝の関節を軽く打って生じる筋肉の収縮の多少を見る方法、その他これらに類する種々さまざまの方法がある。

たとえば、不意に「お前は老婆を殺した本人であろう」と問われた場合、彼は平気な顔で「何を証拠にそんなことをおっしゃるのです」と言い返すだけの自信はある。だが、その時不自然に脈搏が高まったり、呼吸が早くなるようなことはないだろうか。それを防ぐことは絶対に不可能なのではあるまいか。彼はいろいろな場合を仮定して、心のうちで実験してみた。ところが、不思議なことには、自分自身で発した訊問は、それがどんなにきわどい、不

意の思い付きであっても、肉体上に変化を及ぼすようには考えられなかった。むろん微細な変化を計る道具があるわけではないから、確かなことはいえぬけれど、神経の興奮そのものが感じられない以上は、その結果である肉体上の変化も起こらぬはずだった。

そうして、いろいろと実験や推量をつづけているうちに、蕗屋はふとある考えにぶっつかった。それは、練習というものが心理試験の効果を妨げはしないか、言い換えれば、同じ質問に対しても、一回目よりは二回目が、二回目よりは三回目が、神経の反応が微弱になりはしないかということだった。つまり、慣れるということだ。これは他のいろいろの場合を考えて見てもわかる通り、ずいぶん可能性がある。自分自身の訊問に対しては反応がないというのも、結局はこれと同じ理窟で、訊問が発せられる以前に、すでに予期があるために違いない。

そこで、彼は「辞林」の中の何万という単語をひとつ残らず調べてみて、少しでも訊問されそうな言葉をすっかり書き抜いた。そして、一週間もかかって、それに対する神経の「練習」をやった。

さて次には、言葉を通じて試験する方法だ。これとても恐れることはない。いやむしろ、それが言葉であるだけに、ごまかしやすいというものだ。これにはいろいろな方法があるけれど、最もよく行なわれるのは、あの精神分析家が病人を見るときに用いるのと同じ方法で、連想診断というやつだ。「障子」だとか「机」だとか「インキ」だとか「ペン」だとか、なんでもない用語をいくつも順次に読み聞かせて、できるだけ早く、少しも考えないで、それ

らの単語について連想した言葉をしゃべらせるのだ。たとえば「障子」に対しては「窓」とか「敷居」とか「紙」とか「戸」とかいろいろの連想があるだろうが、どれでも構わない。その時ふと浮かんだ言葉を言わせる。そして、それらの意味のない単語のあいだへ「ナイフ」だとか「血」だとか「金」だとか「財布」だとか、犯罪に関係のある単語を、気づかれぬように混ぜておいて、それに対する連想を調べるのだ。

先ず第一に、最も思慮の浅い者は、この老婆殺しの事件でいえば「植木鉢」という単語に対して、うっかり「金」と答えるかもしれない。即ち「植木鉢」の底から「金」を盗んだことが最も深く印象されているからだ。そこで彼は罪状を自白したことになる。だが、少し考え深い者だったら、たとえ「金」という言葉が浮かんでも、それを押し殺して、たとえば「瀬戸物」と答えるだろう。

かような偽りに対して二つの方法がある。ひとつは、一巡試験した単語を、少し時間を置いて、もう一度繰り返すのだ。すると、自然に出た答えは多くの場合前後相違がないのに、故意に作った答えは十中八九は最初のときと違ってくる。たとえば「植木鉢」に対して最初は「瀬戸物」と答え、二度目は「土」と答えるようなものだ。

もうひとつの方法は、問いを発してから答えを得るまでの時間を、ある装置によって精確に記録し、その遅速によって、たとえば「障子」に対して「戸」と答えた時間が一秒であったにもかかわらず、「植木鉢」に対して「瀬戸物」と答えた時間が三秒もかかったとすれば、それは「植木鉢」について最初に現われた連想を押し殺すために時間を取ったので、その被

験者は怪しいということになるのだ。この時間の遅延は、当面の単語に現われるばかりでなく、その次の意味のない単語にまで影響して現われることもある。

また、犯罪当時の状況を詳しく話して聞かせて、それを暗誦させる方法もある。真実の犯人であったら、暗誦する場合に、微細な点で思わず話して聞かされたことと違った真実を口走ってしまうものなのだ。

この種の試験に対しては、前の場合と同じく「練習」が必要なのはいうまでもないが、それよりももっと大切なのは、蕗屋に言わせると、無邪気なことだ。つまらない技巧を弄しないことだ。「植木鉢」に対しては、むしろあからさまに「金」または「松」と答えるのが、いちばん安全な方法なのだ。というのは、蕗屋は、たとえ彼が犯人でなかったにしても、判事の取り調べその他によって、犯罪事実をある程度まで知っているのが当然だから、そして、植木鉢の底に金があったという事実は、最近の且つ最も深刻な印象に違いないのだから、連想作用がそんなふうに働くのは至極あたり前ではないか。また、この手段によれば、現物の有様を暗誦させられた場合にも安全なのだ。ただ、問題は所要時間の点だ。これにはやはり「練習」が必要である。「植木鉢」ときたら、少しもまごつかないで、「金」または「松」と答え得るように練習しておく必要がある。彼は更にこの「練習」のために数日をついやした。かようにして、準備はまったく整った。

彼はまた、一方において、ある一つの有利な事情を勘定に入れていた。それを考えると、たとえ、予期しない訊問に接しても、更に一歩を進めて、予期した訊問に対して不利な反応

を示しても、少しも恐れることはないのだった。というのは、試験されるのは、蕗屋一人ではないからだ。あの神経過敏な斎藤勇が、いくら身に覚えがないといっても、さまざまの訊問に対して、果たして虚心平気でいることができるだろうか。おそらく彼とても、少なくとも蕗屋と同様くらいの反応を示すのが自然ではあるまいか。

蕗屋は考えるにしたがって、だんだん安心してきた。なんだか鼻歌でも歌い出したいような気持になってきた。彼は今はかえって笠森判事の呼出しを待ち構える気持にさえなった。

5

笠森判事の心理試験がいかように行なわれたか。それに対して、神経質な斎藤がどんな反応を示したか、蕗屋がいかに落ちつきはらって試験に応じたか、ここにそれらの管々しい叙述を並べ立てることを避けて、直ちにその結果に話を進めることにする。

それは心理試験の行なわれた翌日のことであった。笠森判事が、自宅の書斎で、試験の結果を書きとめた書類を前にして、小首を傾けているところへ、明智小五郎の名刺が通じられた。

「D坂の殺人事件」を読んだ人は、この明智小五郎がどんな男だかということを幾分ご存じであろう。彼はその後、しばしば困難な犯罪事件に関係して、その珍らしい才能を現わし、専門家たちはもちろん、一般の世間からも、もう立派に認められていた。笠森氏とも、ある

刺戟語	蕗屋清一郎		斎藤　勇	
	反応語	所要時間	反応語	所要時間
頭	毛	0.9秒	尾	1.2秒
緑	青	0.7	青	1.1
水	湯	0.9	魚	1.3
歌う	唱歌	1.1	女	1.5
長い	短かい	1.0	紐	1.2
○殺す	ナイフ	0.8	犯罪	3.1
舟	川	0.9	水	2.2
窓	戸	0.8	ガラス	1.5
料理	洋食	1.0	さしみ	1.3
○金	紙幣	0.7	鉄	3.5
冷い	水	1.1	冬	2.3
病気	風邪	1.6	肺病	1.6
針	糸	1.0	糸	1.2
○松	植木	0.8	木	2.3
山	高い	0.9	川	1.4
○血	流れる	1.0	赤い	3.9
新しい	古い	0.8	着物	2.1
嫌い	蜘蛛	1.2	病気	1.1
○植木鉢	松	0.6	花	6.2
鳥	飛ぶ	0.9	カナリヤ	3.6
本	丸善	1.0	丸善	1.3
○油紙	隠す	0.8	小包	4.0
友人	斎藤	1.1	話す	1.8
純粋	理性	1.2	言葉	1.7
箱	本箱	1.0	人形	1.2
○犯罪	人殺し	0.7	警察	3.7
満足	完成	0.8	家庭	2.0
女	政治	1.0	妹	1.3
絵	屏風	0.9	景色	1.3
○盗む	金	0.7	馬	4.1

○印は犯罪に関係ある単語。実際は百位の単語が使われるし、更に、それを二組も三組も用意して、次々と試験するのだが、右の表は解り易くするために簡単にしたものである。

事件から心易くなったのであった。

女中の案内につれて、判事の書斎に、明智のニコニコした顔が現われた。このお話は「D坂の殺人事件」から数年後のことで、彼ももう昔の書生ではなくなっていた。

「いや、どうも、今度はまったく弱りましたよ」

判事が来客の方にからだの向きを変えて、ゆううつな顔を見せた。

「例の老婆殺しの事件ですね。どうでした、心理試験の結果は」

明智は判事の机の上を覗きながら言った。彼は事件以来、たびたび笠森判事に会って詳し

い事情を聞いていたのだ。

「いや、結果は明白ですがね」と判事「それがどうも、僕(ぼく)にはなんだか得心できないのですよ。きょうは脈搏の試験と、連想診断をやってみたのですが、蕗屋の方は殆(ほと)んど反応がないのです。もっとも脈搏では大分疑わしいところもありましたが、しかし、斎藤に比べれば、問題にもならぬくらい僅(わず)かなんです。これをごらんなさい。ここに質問事項と、脈搏の記録がありますよ。斎藤の方は実にいちじるしい反応を示しているでしょう。連想試験でも同じことです。この『植木鉢』という刺戟語(しげきご)に対する反応時間を見てもわかりますよ。蕗屋の方はほかの無意味な言葉よりもかえって短かい時間で答えているのに、斎藤の方はどうです、六秒もかかっているではありませんか」

判事が示した連想診断の記録は前頁(ページ)に表示したようなものであった。

「ね、非常に明瞭(めいりょう)でしょう」判事は明智が記録に眼(め)を通すのを待ってつづけた。「これでみると、斎藤はいろいろ故意の細工をやっている。いちばんよくわかるのは反応時間のおそいことですが、それが問題の単語ばかりでなく、そのすぐあとのや、二つ目のにまで影響しているのです。それからまた、『金』に対して『鉄』と答えたり、『盗む』に対して『馬』といったり、かなり無理な連想をやっています。『植木鉢』にいちばんながくかかったのは、恐らく『金』と『松』という二つの連想を押さえつけるために手間どったのでしょう。それに反して、蕗屋の方はごく自然です。『植木鉢』に『松』だとか、『油紙』に『隠す』だとか、『犯罪』に『人殺し』だとか、もし犯人だったら是非隠さなければならないような連想を、

平気でしかも短かい時間に答えています。彼が人殺しの本人でいて、こんな反応を示したとすれば、よほどの低能児に違いありません。ところが、実際は彼は××大学の学生で、それになかなか秀才なのですからね」

「そんなふうにも取れますね」

明智は何か考え考え言った。しかし判事は彼の意味ありげな表情には、少しも気づかないで、話を進める。

「ところがですね、これでもう、蕗屋の方は疑うところはないのだが、斎藤が果たして犯人かどうかという点になると、試験の結果はこんなにハッキリしているのに、どうも僕は確信が持てないのですよ。何も予審で有罪にしたといって、それが最後の決定になるわけではなし、まあこのくらいでいいのですが、御承知のように、僕は例のまけぬ気でね。公判で僕の考えをひっくり返されるのが癪なんですよ。そんなわけで実はまだ迷っている始末です」

「これを見ると、実に面白いですね」明智が記録を手にしてはじめた。「蕗屋も斎藤もなかなか勉強家だって言いますが、『本』という単語に対して、両人とも『丸善』と答えたところなどは、よく性質が現われていますね。もっと面白いのは、蕗屋の答えは、皆どことなく物質的で、理智的なのに反して、斎藤のは、いかにもやさしいところがあるじゃありませんか。叙情的ですね。たとえば『女』だとか『着物』だとか『花』だとか『人形』だとか『景色』だとか『妹』だとかという答えは、どちらかといえば、センチメンタルな弱々しい男を思わせますね。それから、斎藤はきっと病身ですよ。『嫌い』に『病気』と答え、『病気』に

『肺病』と答えているじゃありませんか。平生から肺病になりゃしないかと恐れている証拠ですよ」

「そういう見方もありますね。連想診断てやつは、考えれば考えるだけ、いろいろ面白い判断が出てくるものですよ」

「ところで」明智は少し口調をかえて言った。「あなたは、心理試験というものの弱点について考えられたことがありますかしら。デ・キロスは心理試験の提唱者ミュンスターベルヒの考えを批評して、この方法は拷問に代るべく考案されたものだけれど、その結果は、やはり拷問と同じように無実のものを罪に陥れ、有罪者を逸することがあるといっていますね。ミュンスターベルヒ自身も、心理試験の真の効能は、嫌疑者が、ある場所とか人とか物について、知っているかどうかを見いだす場合に限って決定的だけれど、その他の場合には幾分危険だというようなことを、どっかで書いていました。あなたにこんなことをお話しするのは釈迦に説法かもしれませんね。でも、これは確かに大切な点だと思いますが、どうでしょう」

「それは悪い場合を考えれば、そうでしょうがね。むろん僕もそれは知ってますよ」

判事は少しいやな顔をして答えた。

「しかし、その悪い場合が、存外手近にないとも限りませんからね、こういうことはいえないでしょうか。たとえば非常に神経過敏な無実の男が、ある犯罪の嫌疑を受けたと仮定しますね。その男は犯罪の現場で捕えられ、犯罪事実もよく知っているのです。この場合、彼は

果たして心理試験に対して平気でいることができるでしょうか。『あ、これは僕を試すのだな、どう答えたら疑われないだろう』などというふうに興奮するのが当然ではないでしょうか。ですから、そういう事情の下に行なわれた心理試験は、デ・キロスのいわゆる『無実のものを罪に陥れる』ことになりゃあしないでしょうか」

「君は斎藤勇のことを言っているのですね。いや、それは僕もなんとなくそう感じたものだから、今もいったように、まだ迷っているのじゃありませんか」

判事はますます苦い顔をした。

「では、そういうふうに、斎藤が無実だとすれば（もっとも金を盗んだ罪はまぬがれませんけれど）いったい誰(だれ)が老婆を殺したのでしょう」

判事はこの明智の言葉を中途から引き取って、荒々しく訊(たず)ねた。

「そんなら、君は、ほかに犯人の目当てでもあるのですか」

「あります」明智はニコニコしながら、「僕はこの連想試験の結果から見て蕗屋が犯人だと思うのですよ。しかしまだ確実にそうだとは言いきれませんけれど。あの男はもううちへ帰したのでしょうね。どうでしょう。それとなく彼をここへ呼ぶわけにはいきませんかしら、そうすれば、僕はきっと真相をつき止めてお眼にかけますがね」

「なんですって、それは何か確かな証拠でもあるのですか」

判事が少なからず驚いて訊ねた。

明智は別に得意らしい色もなく、詳しく彼の考えを述べた。そして、それが判事をすっか

り感心させてしまった。明智の希望が容れられて、蕗屋の下宿へ使いが走った。

「御友人の斎藤氏はいよいよ有罪と決した。それについてお話ししたいこともあるから、私の私宅まで御足労を煩わしたい」

これが呼び出しの口上だった。蕗屋はちょうど学校から帰ったところで、それを聞くと早速やってきた。さすがの彼もこの吉報には少なからず興奮していた。嬉しさのあまり、そこに恐ろしい罠のあることを、まるで気づかなかった。

6

笠森判事は、ひと通り斎藤を有罪と決定した理由を説明したあとで、こうつけ加えた。

「君を疑ったりして、まったく相すまんと思っているのです。きょうは、実はそのお詫びかたがた、事情をよくお話ししようと思って、来て頂いたわけですよ」

そして、蕗屋のために紅茶を命じたりして、ごくうちくつろいだ様子で雑談をはじめた。明智も話に加わった。判事は彼を知り合いの弁護士で、死んだ老婆の遺産相続者から、貸金の取り立てなどを依頼されている男だといって紹介した。むろん半分は嘘だけれど、親族会議の結果、老婆の甥が田舎から出てきて、遺産を相続することになったのは事実だった。

三人のあいだには、斎藤の噂をはじめとして、いろいろの話題が話された。すっかり安心した蕗屋は、中でもいちばん雄弁な話し手だった。

　そうしているうちに、いつの間にか時間がたって、窓のそとに夕闇が迫ってきた。蕗屋はふとそれに気づくと、帰り支度をはじめながら言った。

「では、もう失礼しますが、別にご用はないでしょうか」

「おお、すっかり忘れてしまうところだった」明智が快活に言った。「なあに、どうでもいいようなことですがね。ちょうど序でだから……ご承知かどうですか、あの殺人のあった部屋に二枚折りの金屏風が立ててあったのですが、それにちょっと傷がついていたといって問題になっているのですよ。というのは、その屏風は婆さんのものではなく、貸金の抵当に預かってあった品で、持ち主の方では、殺人の際についた傷に違いないから弁償しろというし、婆さんの甥は、これがまた婆さんに似たけちん坊でね、元からあった傷かもしれないといって、なかなか応じないのです。実際つまらない問題で、閉口してるんです。尤もその屏風は可なり値うちのある品物らしいのですがね。ところで、あなたはよくあの家へ出入りされたのですから、その屏風も多分ご存じでしょうが、以前に傷があったかどうか、ひょっと御記憶じゃないでしょうか、どうでしょう、屏風なんか別に注意しなかったでしょうね。実は斎藤にも聞いてみたんですが、先生興奮しきっていて、よくわからないのです。それに、女中は国へ帰ってしまって、手紙で聞き合わせても要領を得ないし、ちょっと困っているのですが……」

　屏風が抵当物だったことはほんとうだが、そのほかの点はむろん作り話にすぎなかった。蕗屋は屏風という言葉に思わずヒヤッとした。しかしよく聞いてみるとなんでもないことな

ので、すっかり安心した。

「何をビクビクしているのだ。事件はもう決定してしまったのじゃないか」

彼はどんなふうに答えてやろうかと、ちょっと思案したが、例によってありのままにやるのがいちばんいい方法のように考えられた。

「判事さんはよく御承知ですが、僕はあの部屋へはいったのはたった一度きりなんです。それも、事件の二日前にね。つまり先月の三日ですね」彼はニヤニヤ笑いながら言った。こうした言い方をするのが愉快でたまらないのだ。

「しかし、その屛風なら覚えてますよ。僕の見た時には確か傷なんかありませんでした」

「そうですか。間違いないでしょうね。あの小野小町の顔のところに、ほんのちょっとした傷があるだけなんですが」

「そうそう、思い出しましたよ」蕗屋はいかにも今思い出したふうを装って言った。「あれは六歌仙の絵でしたね。小野小町も覚えてますよ。しかし、もしその傷がついていたとすれば、見おとしたはずがありません。だって、極彩色の小野小町の顔に傷があれば、ひと目でわかりますからね」

「じゃあ、ご迷惑でも、証言をして頂くわけにはいきませんかしら。屛風の持ち主というのが、実に欲の深いやつで、始末にいけないのですよ」

「ええ、よござんすとも、いつでもご都合のいい時に」

蕗屋はいささか得意になって、弁護士と信ずる男の頼みを承諾した。

「ありがとう」明智はモジャモジャと伸ばした髪の毛を指でかきまわしながら、嬉しそうに言った。これは彼が興奮した際にやる一種の癖なのだ。「実は、僕は最初から、あなたが屏風のことを知っておられるに違いないと思ったのですよ。というのはね、この、きのうの心理試験の記録のなかで、『絵』という問に対して、あなたは『屏風』という特別の答え方をしていますね。これですよ。下宿屋にはあんまり屏風なんて備えてありませんし、あなたは斎藤のほかには別段親しいお友だちもないようですから、これはさしずめ老婆の座敷の屏風が、何かの理由で特別に深い印象になって残っていたのだろうと想像したのですよ」

蕗屋はちょっと驚いた。それは確かにこの弁護士のいう通りに違いなかった。でも、彼はきのうどうして屏風なんて口走ったのだろう。そして、不思議にも今までまるでそれに気づかないとは。これは危険じゃないかな。しかし、どういう点が危険なのだろう。あの時彼は、その傷跡をよく調べて、なんの手掛りにもならぬことを確かめておいたではないか。なあに、平気だ、平気だ。彼は一応考えてみてやっと安心した。ところが、ほんとうは、彼は明白すぎるほど明白な大間違いをやっていたことを少しも気づかなかったのだ。

「なるほど、僕はちっとも気づきませんでしたけれど、確かにおっしゃる通りですよ。なかなか鋭い御観察ですね」

蕗屋はあくまで、無技巧主義を忘れないで、平然として答えた。

「なあに、偶然気づいたのですよ」弁護士を装った明智が謙遜した。「だが、気づいたといえば、実はもうひとつあるのですが、いや、いや、決して御心配なさるようなことじゃあり

ません。きのうの連想試験の中には八つの危険な単語が含まれていたのですが、あなたはそれを実に完全にパスしましたね。実際完全すぎたほどですよ。少しでもうしろ暗いところがあれば、こうは行きませんからね。その八つの単語というのは、ここに丸が打ってあるでしょう。これですよ」といって明智は記録の紙片を示した。「ところが、あなたのこれらに対する反応時間は、ほかの無意味な言葉よりも、皆ほんの僅かずつではありますけれど、早くなってますね。たとえば『植木鉢』に対して『松』と答えるのに、たった〇・六秒しかかかってない。これは珍らしい無邪気さですよ。この三十箇の単語の内で、いちばん連想し易いのは先ず『緑』に対する『青』などでしょうが、あなたはそれにさえ〇・七秒かかってますからね」

蕗屋は非常な不安を感じはじめた。この弁護士は、いったいなんのためにこんな饒舌を弄しているのだろう。好意でか、それとも悪意でか。何か深い下心があるのじゃないかしら。彼は全力を傾けて、その意味を探ろうとした。

「『植木鉢』にしろ『油紙』にしろ『犯罪』にしろ、そのほか、問題の八つの単語は、皆、決して『頭』だとか『緑』だとかいう平凡なものより、連想しやすいとは考えられません。それにもかかわらず、あなたは、そのむずかしい連想の方をかえって早く答えているのです。これはどういう意味でしょう。僕が気づいた点というのはここですよ。ひとつあなたの心持を当ててみましょうか。え、どうです。なにも一興ですからね。しかしもし間違っていたらごめんくださいよ」

蕗屋はブルッと身震いした。しかし、何がそうさせたかは彼自身にもわからなかった。

「あなたは、心理試験の危険なことをよく知っていて、あらかじめ準備していたのでしょう。犯罪に関係のある言葉について、ああ言えばこうと、ちゃんと腹案ができていたんでしょう。いや、僕は決して、あなたのやり方を非難するのではありませんよ。実際、心理試験というやつは、場合によっては非常に危険なものですからね。有罪者を逸して無実のものを罪に陥れることがないとは断言できないのですからね。ところが、準備があまり行き届き過ぎていて、もちろん別に早く答えるつもりはなかったのでしょうけれど、その言葉だけが早くなってしまったのです。これは確かに大へんな失敗でしたね。あなたは、ただもう遅れることばかり心配して、それが早過ぎるのも同じように危険だということを少しも気づかなかったのです。もっとも、この時間の差は非常に僅かずつですから、よほど注意深い観察者でないと、うっかり見逃がしてしまいますがね。ともかく、こしらえ事というものは、どっかに破綻があるものですよ」明智の蕗屋を疑った論拠は、ただこの一点にあったのだ。「しかし、あなたはなぜ『金』だとか『人殺し』だとか『隠す』だとか、嫌疑を受け易い言葉を選んで答えたのでしょう。言うまでもない。そこがそれ、あなたの無邪気なところですよ。もしあなたが犯人だったら決して『油紙』と問われて『隠す』などとは答えませんからね。そんな危険な言葉を平気で答え得るのは、少しもやましいところのない証拠ですよ。ね、そうでしょう。僕のいう通りでしょう」

蕗屋は話し手の眼をじっと見詰めていた。どういうわけか、そらすことができないのだ。

そして、鼻から口の辺にかけて筋肉が硬直して、笑うことも、泣くことも、驚くことも、一切の表情が不可能になったような気がした。むろん口は利けなかった。もし無理に口を利こうとすれば、それは直ちに恐怖の叫び声になったに違いない。

「この無邪気なこと、つまり小細工を弄しないということが、あなたのいちじるしい特徴ですよ。僕はそれを知ったものだから、あのような質問をしたのです。え、おわかりになりませんか。例の屏風のことです。僕は、あなたがむろん無邪気にありのままにお答えくださることを信じて疑わなかったのですよ。実際その通りでしたがね。ところで、笠森さんに伺いますが、問題の六歌仙の屏風は、いつあの老婆の家に持ち込まれたのですかしら」

明智はとぼけた顔をして、判事に訊ねた。

「犯罪事件の前日ですよ。つまり先月の四日です」

「え、前日ですって、それはほんとうですか。妙じゃありませんか、今蕗屋君は、事件の前々日即ち三日に、それをあの部屋で見たと、ハッキリ言っているじゃありませんか。どうも不合理ですね。あなた方のどちらかが間違っていないとしたら」

「蕗屋君は何か思い違いをしているのでしょう」判事がニヤニヤ笑いながら言った。「四日の夕方までは、あの屏風が、そのほんとうの持ち主の家にあったことは、明白にわかっているのです」

明智は深い興味をもって、蕗屋の表情を観察した。それは、今にも泣き出そうとする小娘の顔のように変なふうにくずれかけていた。これが明智の最初から計画した罠だった。彼は

事件の二日前には、老婆の家に屏風のなかったことを、判事から聞いて知っていたのだ。「どうも困ったことになりましたね」明智はさも困ったような声で言った。「これはもう取り返しのつかぬ大失策ですよ。なぜあなたは見もしないものを見たなどと言うのです。あなたは事件の二日前から一度もあの家へ行っていないはずじゃありませんか。殊に六歌仙の絵を覚えていたのは致命傷ですよ。おそらくあなたは、ほんとうのことを言おう、ほんとうのことを言おうとして、つい嘘をついてしまったのでしょう。ね、そうでしょう。あなたは事件の二日前にあの座敷へはいった時、そこに屏風があるかないかというようなことを注意したでしょうか。むろん注意しなかったでしょう。実際それはあなたの計画にはなんの関係もなかったのですし、もし屏風があったとしても、あれは御承知の通り時代のついたくすんだ色合いで、ほかのいろいろの道具の中で、殊さら目立っていたわけでもありませんからね。で、あなたが今、事件の当日そこで見た屏風が、二日前にも同じようにそこにあっただろうと考えたのは、ごく自然ですよ。それに僕はそう思わせるような調子で問いかけたのですものね。これは一種の錯覚みたいなものですが、よく考えてみると、われわれには日常ザラにあることです。しかし、もし普通の犯罪者だったら決してあなたのようには答えなかったでしょう。彼らは、なんでもかんでも、隠しさえすればいいと思っているのですからね。ところが、僕にとって好都合だったのは、あなたが世間なみの裁判官や犯罪者より、十倍も二十倍も進んだ頭を持っていられたことです。つまり急所にふれない限りは、できるだけあからさまにしゃべってしまう方が、かえって安全だという信念を持っていられたことです。裏の

裏を行くやり方ですね。そこで僕は更にその裏を行ってみたのですよ。まさか、あなたは、この事件になんの関係もない弁護士が、あなたを白状させるために、罠を作っていようとは想像もしなかったでしょうからね。ハハハハハハ」

蕗屋はまっ青になった顔の、ひたいのところにビッショリ汗を浮かせて、じっとだまり込んでいた。彼はもうこうなったら、弁明すればするだけボロを出すばかりだと思った。彼は頭がよいだけに、自分の失言がどんなに雄弁な自白だったかということを、よくわきまえていた。彼の頭の中には、妙なことだが、子供の時分からのさまざまの出来事が、走馬灯のように、めまぐるしく現われては消えて行った。長い沈黙がつづいた。

「聞こえますか」明智がしばらくしてから言った。「そら、サラサラ、サラサラという音がしているでしょう。あれはね、さっきから、隣の部屋で、僕たちの問答を書きとめているのですよ……君、もうよござんすから、それをここへ持ってきてくれませんか」

すると、襖がひらいて、一人の書生ふうの男が手に洋紙の束を持って出てきた。

「それを一度読み上げてください」

明智の命令にしたがって、その男は最初から朗読した。

「では、蕗屋君、これに署名して、拇印で結構ですから捺してくれませんか。君はまさかいやだとは言いますまいね。だって、さっき、屏風のことはいつでも証言してやると約束したばかりじゃありませんか。もっとも、こんなふうな証言だろうとは想像しなかったかもしれませんがね」

蕗屋は、ここで署名を拒んだところで、なんの甲斐もないことを、充分知っていた。彼は明智の驚くべき推理をも、あわせて承認する意味で、署名捺印した。そして、今はもうすっかりあきらめ果てた人のようにうなだれていた。

「先にも申し上げた通り」明智は最後に説明した。「ミュンスターベルヒは、心理試験の真の効能は、嫌疑者が、ある場所、人、または物について知っているかどうかを試す場合に限って、決定的だといっています。今度の事件でいえば、蕗屋君が屏風を見たかどうかという点が、それなんです。この点をほかにしては、百の心理試験もおそらくむだでしょう。なにしろ相手が蕗屋君のような、なにもかも予想して、綿密な準備をしている男なのですからね。それからもう一つ申し上げたいのは、心理試験というものは、必ずしも、書物に書いてある通り、一定の刺戟語を使い、一定の機械を用意しなければできないものではなくて、いま僕が実験してお眼にかけたように、ごく日常的な会話によってでも充分やれるということです。昔からの名判官は、たとえば大岡越前守というような人は、皆自分でも気づかないで、最近の心理学が発明した方法をちゃんと応用していたのですよ」

赤い部屋

異常な興奮を求めて集まった、七人のしかつめらしい男が……私もその中の一人だった……わざわざそのためにしつらえた「赤い部屋」の、緋色のビロードで張った深い肘掛椅子にもたれこんで、今晩の話し手が、何事か怪異な物語を話し出すのを、今か今かと待ち構えていた。

七人のまん中には、これも緋色のビロードで覆われた一つの大きな丸いテーブルの上に、古風な彫刻のある燭台にさされた三梃の太いロウソクが、ユラユラとかすかに揺れながら燃えていた。

部屋の四周には、窓や入口のドアさえ残さないで、天井から床まで、真紅の重々しい垂れ絹が豊かな襞を作って懸けられていた。ロマンチックなロウソクの光が、その静脈から流れ出したばかりの血のようにもドス黒い色をした垂れ絹の表に、われわれ七人の異様に大きな影法師を投げていた。そして、その影法師は、ロウソクの焔につれて、幾つかの巨大な昆虫ででもあるかのように、垂れ絹の襞の曲線の上を、伸びたり縮んだりしながら、這い歩いていた。

いつもながらその部屋は、私を、ちょうど途方もなく大きな生きものの心臓の中に坐ってでもいるような気持にした。私にはその心臓が、大きさに相応したのろさをもって、ドキン

ドキンと脈うつ音さえ感じられるように思えた。

誰も物を言わなかった。私はロウソクをすかして、向こう側に腰掛けた人たちの赤黒く見える影の多い顔を、なんということなしに見つめていた。それらの顔は、不思議にも、お能の面のように無表情に微動さえしないかと思われた。

やがて、今晩の話し手と定められた新入会員のT氏は、腰掛けたままで、じっとロウソクの火を見つめながら、次のように話しはじめた。私は、陰影の加減で骸骨のように見える彼の顎が、物を言うたびにガクガク物淋しく合わさる様子を、奇怪なからくり仕掛けの人形でも見るような気持で眺めていた。

私は、自分では確かに正気のつもりでいますし、人もまたそのように取り扱ってくれていますけれど、真実正気なのかどうかわかりません。狂人かもしれません。それほどでないとしても、一種の精神異常者というようなものかもしれません。とにかく、私という人間は、不思議なほどこの世の中がつまらないのです。生きているということが、もうもう退屈で退屈でしょうがないのです。

はじめのあいだは、でも、人並みにいろいろの道楽に耽った時代もありましたけれど、それがなに一つ私の生れつきの退屈を慰めてくれないで、かえって、もうこれで世の中の面白いことはおしまいなのか、なあんだつまらない、という失望ばかりが残るのでした。で、だんだん、私は何かをやるのがおっくうになってきました。たとえば、これこれの遊びは面白

い、きっとお前を有頂天にしてくれるだろうというような話を聞かされますと、おお、そんなものがあったのか、では早速やってみようと乗り気になる代りに、まず頭の中でその面白さをいろいろと想像してみるのです。そして、さんざん想像を廻らした結果は、いつも「なあに大したことはない」とみくびってしまうのです。

そんなふうで、或る期間、私は文字通り何もしないで、ただ飯を食ったり、起きたり、寝たりするばかりの日を暮らしていました。そして、頭の中だけでいろいろな空想をめぐらしては、これもつまらない、あれも退屈だと、片っ端からけなしつけながら、死ぬよりもつらい、それでいて人目にはこの上もなく安易な生活を送っていたのです。

これが、私がその日その日のパンに追われるような境遇だったら、まだよかったのでしょう。たとえ強いられた労働にしろ、とにかく何かすることがあれば幸福です。それともまた、私が飛び切りの大金持ちででもあったら、もっとよかったかもしれません。私はきっと、その大金の力で、歴史上の暴君たちがやったようなすばらしい贅沢や、血なまぐさい遊戯や、その他さまざまの楽しみに耽ることができたのでありましょうが、もちろんそれもかなわぬ願いだとしますと、私はもう、おとぎ話にある物臭太郎のように、いっそ死んでしまったほうがましなほど、淋しくものういその日その日を、ただじっとして暮らすほかはないのでした。

こんなふうに申し上げますと、皆さんはきっと、「そうだろう、しかし世の中の事柄に退屈しきっている点では、われわれだって決してお前にひけを取りはしないのだ。だからこん

なクラブを作ってなんとかして異常の興奮を求めようとしているのではないか。お前もよくよく退屈なればこそ、今、われわれの仲間へはいってきたのであろう。それはもう、お前の退屈していることは、今さら聞かなくてもよくわかっているのだ」とおっしゃるに違いありません。ほんとうにそうです。私は何もくどくどと退屈の説明をする必要はないのでした。そして、あなた方がそんなふうに、退屈がどんなものだかをよく知っていらっしゃると思えばこそ、私は今夜この席に列して、私の変てこな身の上話をお話ししようと決心したのでした。

　私はこの階下のレストランへはしょっちゅう出入りしていまして、自然ここにいらっしゃる御主人ともお心安く、ずっと前からこの「赤い部屋」の会のことを聞き知っていたばかりでなく、一再ならず入会することを勧められてさえいました。それにもかかわらず、そんな話には一も二もなく飛びつきそうな退屈屋の私が、今まで入会しなかったのは、私が、失礼な申し分かもしれませんけれど、皆さんなどとは比べものにならぬほど退屈しきっていたからです。退屈し過ぎていたからです。

　犯罪と探偵の遊戯ですか、降霊術その他の心霊上のさまざまの実験ですか、Obscene Picture の映画や実演や、その他のセンシュアルな遊戯ですか、刑務所や、瘋癲病院や、解剖学教室などの参観ですか、まだそういうものに幾らかでも興味を持ち得るあなた方は幸福です。私は、皆さんが死刑執行のすき見を企てていられると聞いた時でさえ、少しも驚きはしませんでした。と言いますのは、私は御主人からそのお話のあったころには、もうそういう

ありふれた刺戟には飽き飽きしていたばかりでなく、或る世にもすばらしい遊戯、といっては少し空恐ろしい気がしますけれど、私にとっては遊戯といってもよい一つの事柄を発見して、その楽しみに夢中になっていたからです。

その遊戯というのは、突然申し上げますと、皆さんはびっくりなさるかもしれませんが……人殺しなんです。ほんとうの殺人なんです。しかも、私はその遊戯を発見してから今までに、百人に近い男や女や子供の命を、ただ退屈をまぎらす目的のためばかりに、奪ってきたのです。あなた方は、では、私が今その恐ろしい罪悪を悔悟して、懺悔話をしようとしているのかと早合点なさるかもしれませんが、ところが決してそうではないのです。私は少しも悔悟なぞしてはいません。犯した罪を恐れてもいません。それどころか、ああ、なんということでしょう、私は近頃になって、その人殺しという血なまぐさい刺戟にすら、もう飽き飽きしてしまったのです。そして、今度は他人ではなくて自分自身を殺すような事柄に、あの阿片の喫煙に耽りはじめたのです。さすがにこれだけは、そんな私にも命は惜しかったと見えまして、我慢に我慢をしてきたのですけれど、人殺しにさえあきはてては、もう自殺でもくろむほかに、刺戟の求めようがないではありませんか。私はやがてほどなく、阿片の毒のために命をとられてしまうでしょう。そう思いますと、せめて筋路の通った話のできるあいだに、私は誰かに私のやってきたことを打ち明けておきたいのです。それには、この「赤い部屋」のかたがたがいちばんふさわしくはないでしょうか。

そういうわけで、私は実は皆さんのお仲間入りがしたいためではなくて、ただ私のこの変

な身の上話を聞いてもらいたいばっかりに、会員の一人に加えていただいたのです。そして、幸いにも新入会の者は必ず最初の晩に、何か会の主旨に添うようなお話をしなければならぬ定めになっていましたので、こうして今晩、その私の望みを果たす機会をとらえることができた次第なのです。

それは今からざっと三年ばかり以前のことでした。そのころは今も申し上げましたように、あらゆる刺戟に飽きはてて、なんの生きがいもなく、ちょうど一匹の退屈という名前を持った動物ででもあるように、ノラリクラリと日を暮らしていたのですが、その年の春、といってもまだ寒い時分でしたから、多分二月の終りか三月のはじめごろだったのでしょう。ある夜、私はひとつの妙な出来事にぶつかったのです。私が百人もの命をとるようになったのは、実にその晩の出来事が動機をなしていたのです。

どこかで夜ふかしをした私は、もう一時頃でしたろうか、少し酔っぱらっていたと思います。寒い夜なのに、ブラブラと車にも乗らないで家路を辿っていました。もうひとつ横町を曲がると一丁ばかりで私の家だという、その横町をなにげなくヒョイと曲がりますと、出会いがしらに一人の男が、何か狼狽している様子で、急いでこちらへやってくるのに、バッタリぶつかりました。私も驚きましたが、男はいっそう驚いたとみえて、しばらくだまって突っ立っていましたが、おぼろげな街灯の光で私の姿をみとめると、いきなり「この辺に医者はないか」と尋ねるではありませんか。よく聞いてみますと、その男は自動車の運転手で、今そこで一人の老人を……こんな夜中に一人でうろついていたところを見ると、多分浮浪の

徒だったのでしょう……ひき倒して大怪我をさせたというのです。なるほど、見ればすぐ二、三間向こうに一台の自動車がとまっていて、そのそばに人らしいものが倒れて、ウーウーとかすかにうめいています。交番といっても遠方ですし、それに負傷者の苦しみがひどいので、運転手は何はさておき、先ず医者を探そうとしたのにちがいありません。

私はその辺の地理は、自宅の近所のことですから、医院の所在などもよくわきまえていましたので、早速こう教えてやりました。

「ここを左の方へ二丁ばかり行くと左がわに赤い軒灯のついた家がある。M医院というのだ。そこへ行って叩き起こしたらいいだろう」

すると運転手はすぐさま助手に手伝わせて、負傷者をそのM医院の方へ運んで行きました。私は彼らのうしろ姿が闇の中に消えるまで、それを見送っていましたが、こんなことに係り合っていてもつまらないと思いましたので、やがて家に帰って……私は独り者なんです……婆やの敷いてくれた床にはいって、酔っていたからでしょう、いつになくすぐに寝入ってしまいました。

実際なんでもないことです。もし私がそのままその事件を忘れてしまいさえしたら、それっきりの話だったのです。ところが、翌日眼をさましたとき、私は前夜のちょっとした出来事をまだ覚えていました。そして、あの怪我人は助かったかしらなどと、要もないことまで考えはじめたものです。すると、私はふと変なことに気がつきました。

「や、おれは大へんな間違いをしてしまったぞ」

私はびっくりしました。いくら酒に酔っていたとはいえ、決して正気を失っていたわけではないのに、私としたことが、なんと思ってあの怪我人をM医院などへ担ぎこませたのでしょう。

「ここを左のほうへ二丁ばかり行くと左がわに赤い軒灯のついた家がある……」

というその言葉もすっかり覚えています。なぜそのかわりに、

「ここを右のほうへ一丁ばかり行くとK病院という外科専門の医者がある」

と言わなかったのでしょう。私の教えたというのは評判の藪医者で、しかも外科の方はできるかどうかさえ疑わしかったのです。ところがMとは反対の方角でMよりはもっと近いところに、立派に設備の整ったKという外科病院があるではありませんか。むろん私はそれをよく知っていたはずなのです。知っていたのになぜ間違ったことを教えたか、その時の不思議な心理状態は、今になってもまだよくわかりませんが、おそらく胴忘れとでもいうのでしょうか。

私は少し気がかりになってきたものですから、婆やにそれとなく近所の噂などをさぐらせてみますと、どうやら怪我人はM医院の診察室で死んだらしいのです。どこの医者でもそんな怪我人なんか担ぎ込まれるのはいやがるものです。まして夜中の一時というのですから無理もありませんが、M医院ではいくら戸を叩いても、なんのかんのといってなかなか開けてくれなかったといいます。さんざん暇どらせた挙句、やっと怪我人を担ぎこんだ時分には、もうよほど手遅れになっていたにちがいありません。でも、そのとき、もしM医院の医者が

「私は専門医でないから、近所のK病院の方へつれて行け」とでも指図をしたなら、或(ある)いは怪我人は助かっていたのかもしれませんが、なんという無茶なことでしょう。彼は自からそのむずかしい患者を処理しようとしたらしいのです。そしてしくじったのです。なんでも噂によりますと、M氏はうろたえてしまって、不当に長いあいだ怪我人をいじくりまわしていたということです。

私はそれを聞いて、なんだかこう変な気持になってしまいました。

この場合、可哀(かわい)そうな老人を殺したものは果たして誰でしょうか？　自動車の運転手とM医師とにも、それぞれ責任のあることはいうまでもありません。そして、ここに法律上の処罰があるとすれば、それはおそらく運転手の過失に対して行なわれるのでしょうが、事実上最も重大な責任者はこの私だったのではありますまいか。もしその際、私がM医院でなくてK病院を教えてやったとすれば、少しのへまもなく怪我人は助かったのかもしれないのです。運転手は単に怪我をさせたばかりです。殺したわけではないのです。M医師は医術上の技倆(ぎりょう)が劣っていたためにしくじったのですから、これもあながち咎(とが)めるところはありません。よしまた彼に責を負うべき点があったとしても、その元はといえば私が不適当なM医院を教えたのがわるいのです。つまり、その時の私の指図次第によって、老人を生かすことも殺すこともできたわけなのです。それは怪我をさせたのはいかにも運転手でしょう。けれども、殺したのはこの私だったのではありますまいか。

これは私の指図がまったく偶然の過失だったと考えた場合ですが、もしそれが過失ではな

くて、その老人を殺してやろうという私の故意から出たものだったとしたら、いったいどういうことになるのでしょう。いうまでもありません。私は事実上殺人罪を犯したのではありませんか。しかし法律はたとえ運転手を罰することはあっても、事実上の殺人者である私というものに対しては、おそらく疑いをかけさえしないでしょう。なぜといって、私と死んだ老人とはまるきり関係のないことがよくわかっているのですから。そして、たとえ疑いをかけられたとしても、私はただ外科病院のあることなど忘れていたと答えさえすればよいのではありませんか。それは全然心の中の問題なのです。

皆さん。皆さんはかつてこういう殺人法について考えられたことがおありでしょうか。私はこの自動車事件ではじめてそこへ気がついたのですが、考えてみますと、この世の中はなんというけんのんな場所なのでしょう。いつ私のような男がなんの理由もなく故意に間違った医者を教えたりして、そうでなければ取りとめることができた命を、不当に失ってしまうような目にあうか、わかったものではないのです。

これはその後、私が実際やってみて成功したことなのですが、田舎のお婆さんが電車線路を横切ろうと、まさに線路に片足をかけた時に、むろんそこには電車ばかりでなく、自動車や自転車や馬車や人力車などが織るように行き違っているのですから、そのお婆さんの頭は十分混乱しているにちがいありません。その片足かけた刹那(せつな)に、急行電車か何かが疾風のようにやってきて、お婆さんから二、三間のところまで迫ったと仮定します。その際、お婆さんがそれに気づかないで、そのまま線路を横切ってしまえばなんのことはないのですが、

誰かが大きな声で「お婆さん危いっ」とどなりでもしようものなら、忽ちあわててしまって、そのままつっ切ろうか、一度あとへ引き返そうかと、しばらくまごつくに違いありません。そして、もしその電車があまり間近いためにし急停車もできなかったとしますと、「お婆さん危いっ」というたった一とことが、そのお婆さんに怪我をさせ、わるくすれば命までも奪ってしまわないとは限りません。さっきも申し上げました通り、私はある時この方法で、一人の田舎者をまんまと殺してしまったことがあるのですよ（T氏はここでちょっと言葉を切って、気味わるく笑った）。

この場合「危いっ」と声をかけた私は明きらかに殺人者です。しかし誰が私の殺意を疑いましょう。なんの恨みもない見ず知らずの人間を、ただ殺人の興味のためばかりに、殺そうとしている男があろうなどと想像する人がありましょうか。それに「危いっ」という注意の言葉はどんなふうに解釈してみたって、好意から出たものとしか考えられないのです。表面上では、死者から感謝されこそすれ、決して恨まれる理由がないのです。皆さん、なんと安全至極な殺人法ではありませんか。

世の中の人は、悪事は必らず法律に触れ相当の処罰を受けるものだと信じて、愚かにも安心しきっています。誰にしたって法律が人殺しを見のがそうなどとは想像もしないのです。ところがどうでしょう。今申し上げました二つの実例から類推できるような、少しも法律に触れる気づかいのない殺人法が、考えてみればいくらもあるではありませんか。私はこのことに気づいた時、世の中というものの恐ろしさに戦慄するよりも、そういう罪悪の余地を残

しておいてくれた造物主の余裕を、この上もなく愉快に思いました。ほんとうに私はこの発見に狂喜しました。なんとすばらしいではありませんか。この方法によりさえすれば、大正の聖代に、この私だけは、いわば斬捨て御免も同様なのです。

そこで私はこの種の人殺しによって、あの死にそうな退屈をまぎらすことを思いつきました。絶対に法律に触れない人殺し、どんなシャーロック・ホームズだって見破ることのできない人殺し、ああなんという申し分のない眠けざましでしょう。以来私は三年のあいだというもの、人を殺す楽しみに耽って、いつの間にかさしもの退屈をすっかり忘れはてていました。皆さん笑ってはいけません、私は戦国時代の豪傑のように、あの百人斬りを、むろん文字通り斬るわけではありませんけれど、百人の命をとるまでは決して中途でこの殺人をやめないことを、私自身に誓ったのです。

今から三月ばかり前です。私はちょうど九十九人だけすませました。そして、あと一人になったとき、先にも申し上げました通り、私はその人殺しにも、もう飽き飽きしてしまったのですが、それはともかく、ではその九十九人をどんなふうにして殺したか。もちろん九十九人のどの一人にも、少しだって恨みがあったわけではなく、ただ人知れぬ方法とその結果に興味を持ってやった仕事ですから、私は一度も同じやり方をくり返すようなことはしませんでした。一人殺したあとでは、今度はどんな新工夫でやっつけようかと、それを考えるのがまたひとつの楽しみだったのです。

しかし、この席で、私のやった九十九の違った殺人法をことごとくお話しする暇もありま

せんし、それに、今夜私がここへ参りましたのは、そんな個々の殺人方法を告白するためではなくて、そうした極悪非道の罪悪を犯してまで、退屈をまぬがれようとした、そしてまた、ついにはその罪悪にすら飽きはてて、今度はこの私自身を亡ぼそうとしている、世の常ならぬ私の心持をお話しして、皆さんのご判断を仰ぎたいためなのですから、その殺人方法については、ほんの二、三の実例を申し上げるにとどめておきたいと存じます。

この方法を発見して間もなくのことでしたが、こんなこともありました。私の近所に一人のめくらの按摩がいまして、それが片輪などによくあるひどい強情者でした。他人が親切からいろいろ注意などしてやりますと、かえって逆にとって、眼が見えないと思って人をばかにするな、それくらいのことはちゃんとおれだってわかっているわいという調子で、必らず相手の言葉にさからったことをやるのです。どうしてなみなみの強情さではないのです。

或る日のことでした。私がある大通りを歩いていますと、向こうからその強情者の按摩がやってくるのに出会いました。彼は生意気にも杖を肩に担いで鼻唄を歌いながらヒョッコリヒョッコリと歩いています。ちょうどその町には、きのうから下水の工事がはじまっていて、往来の片側には深い穴が掘ってありましたが、彼は盲人のことで片側往来どめの立札など見えませんから、なんの気もつかず、その穴のすぐそばを呑気そうに歩いているのです。

それを見ますと、私はふと一つの妙案を思いつきました。そこで、

「やあN君」と按摩の名を呼びかけ……よく療治を頼んでお互いに知り合っていたのです……「ソラ危いぞ、左へ寄った、左へ寄った」

とどなりました。それをわざと少し冗談らしい調子でやったのです。というのは、こういえば彼は日頃の性質から、きっとからかわれたのだと邪推して、左へは寄らないで、わざと右へ寄るにちがいないと考えたからです。案の定、彼は、

「エヘヘヘ……ご冗談ばっかり」

などとこわいろめいた口返答をしながら、やにわに反対の右の方へ二た足三足寄ったものですから、たちまち下水工事の穴の中へ片足を踏み込んで、アッという間に、一丈もあるその底へ落ちこんでしまいました。私はさも驚いたふうを装って穴の縁へ駈けより、「うまく行ったかしら」と覗いて見ました。

彼はうち所でもわるかったのか、穴の底にぐったりと横たわって、穴のまわりに突き出ている鋭い石で突いたのでしょう、一分刈りの頭に、赤黒い血がタラタラと流れているのです。それから、舌でも嚙み切ったとみえて、口や鼻からも同じように出血しています。顔色はもうまっ青で、うなり声を出す元気さえありません。

こうして、この按摩は、でも数時間は虫の息で生きていましたが、ついに絶命してしまったのです。私の計画は見事に成功しました。誰が私を疑いましょう。私はこの按摩を日頃ひいきにしてよく呼んでいたくらいで、決して殺人の動機になるような恨みがあったわけではなく、それに、表面上は右に落とし穴のあるのを避けさせようとして、「左へよれ、左へよれ」と教えてやったわけなのですから、私の好意を認める人はあっても、その親切らしい言葉に、恐るべき殺意がこめられていたと想像する人があろうはずはないのです。

ああ、なんという恐ろしくも楽しい遊戯だったのでしょう。巧妙なトリックを考え出したときの、おそらく芸術家のそれにも匹敵する歓喜、そのトリックを実行するときのワクワクした緊張、そして目的を果たしたときの言いしれぬ満足、それにまた、私の犠牲になった男や女が、殺人者が目の前にいるとも知らず、血みどろになって狂い廻る断末魔の光景、最初のあいだ、それらが、どんなにまあ私を有頂天にしてくれたことでしょう。

あるときはこんな事もありました。それは夏のどんよりと曇った日のことでしたが、私はある郊外の文化村とでもいうのでしょう。十軒あまりの西洋館がまばらに立ち並んだところを歩いていました。そして、ちょうどその中でもいちばん立派なコンクリート造りの西洋館の裏手を通りかかったときです。ふと妙なものが私の眼に止まりました。といいますのは、そのとき私の鼻先をかすめて勢いよく飛んで行った一羽の雀が、その家の屋根から地面へ引っ張ってあった太い針金にちょっと止まると、いきなりはね返されたように下へ落ちてきて、そのまま死んでしまったのです。

変なこともあるものだと思って、よく見ますと、その針金というのは、西洋館の尖った屋根の頂上の避雷針から出ていることがわかりました。むろん、針金には被覆が施されていましたけれど、いま雀の止まった部分は、どうしたことか、それがはがれていたのです。私は電気のことはよく知らないのですが、どうかして空中電気の作用とかで、避雷針の針金に強い電流が流れることがあると、どこかで聞いたのを覚えていて、さてはそれだなと気づきました。こんなことに出くわしたのははじめてだったものですから、珍らしいことに思って、

私はしばらくそこに立ち止まって針金を眺めていたものです。

するとそこへ、西洋館の横手から、兵隊ごっこかなにかして遊んでいるらしい子供の一団が、ガヤガヤ言いながら出てきましたが、その中の六つか七つの小さな男の子が、ほかの子供たちはさっさと向こうへ行ってしまったのに、一人あとに残って、何をするのかと見ていますと、今の避雷針の針金の手前の小高くなったところに立って、前をまくると、立ち小便をはじめました。それを見た私は、またもや一つの妙計を思いつきました。中学時代に水が電気の導体だということを習ったことがあります。いま子供が立っている小高いところから、その針金の被覆のとれた部分へ小便をしかけるのはわけのないことです。小便は水ですからやっぱり導体に違いありません。

そこで私はその子供に、こう声をかけました。

「おい坊や、その針金へ小便をかけてごらん。とどくかい」

すると子供は、

「なあにわけないや、見ててごらん」

そういったかと思うと、姿勢を変えて、いきなり針金の生地の現われた部分を目がけて小便をしかけました。そしてそれが針金に届くか届かないかに、恐ろしいものではありませんか、子供はピョンとひとつ踊るように飛び上がったかと思うと、そこへバッタリ倒れてしまいました。あとで聞けば、避雷針にこんな強い電流が流れるのは非常に珍らしいことなのだそうですが、このようにして、私は生れてはじめて、人間の感電して死ぬところを見たわけ

です。

この場合もむろん、私は少しだって疑いを受ける心配はありませんでした。ただ子供の死骸に取りすがって泣き入っている母親に、丁重な悔みの言葉を残して、その場を立ち去りさえすればよいのでした。

これもある夏のことでした。私はこの男をひとつ犠牲にしてやろうと目ざしていた或る友人、といっても、決してその男に恨みがあったわけではなく、長年のあいだ無二の親友としてつき合っていたほどの友だちなのですが、私にはかえってそういう仲のいい友だちなどを、なんにも言わないで、ニコニコしながら、アッという間に死骸にしてみたいという異常な望みがあったのです。その友だちといっしょに、房州のごく辺鄙な漁師町へ避暑に出かけたことがあります。むろん、海水浴場というほどの場所ではなく、海には、その部落の赤銅色の肌をした小わっぱどもが、バチャバチャやっているだけで、都会からの客といっては、私たち二人のほかには画学生らしい連中が数人、それも海へはいるというよりは、その辺の海岸をスケッチブック片手に歩き廻っているにすぎませんでした。

名の売れている海水浴場のように、都会の少女たちの優美な肉体が見られるわけではなく、宿といっても東京の木賃宿みたいなもので、それに食物も刺身のほかのものはまずくて口に合わず、ずいぶん淋しい不便なところではありましたが、その私の友だちというのが、私とはまるで違って、そうした鄙びた場所で孤独な生活を味わうのが好きなほうでしたのと、私は私で、どうかしてこの男をやっつける機会をつかもうとあせっていた際だったものですか

ら、そんな漁師町に数日のあいだも、落ちついていることができたのです。

ある日、私はその友だちを、海岸の部落からずっと隔たった場所にある、ちょっと断崖(だんがい)みたいになった場所へ連れ出しました。そして「飛び込みをやるのには持ってこいの場所だ」などと言いながら、私は先に立って着物を脱いだものです。友だちもいくらか水泳の心得があったものですから、「なるほどこれはいい」と私にならって着物をぬぎました。

そこで私はその断崖のはしに立って、両手をまっ直(す)ぐに頭の上に伸ばし、「一、二、三」と思いきりの声でどなっておいて、ピョンと飛び上がると、見事な弧をえがいて、さかしまに前の海面へと飛びこみました。

パチャンとからだが水についたときに、胸と腹の呼吸でスイと水を切って、僅(わず)か二、三尺もぐるだけで、飛び魚のように向こうの水面へからだを現わすのが「飛び込み」のコツなんですが、私は小さい時分から水泳が上手で、この「飛び込み」なんかも朝飯前の仕事だったのです。そうして、岸から十四、五間も離れた水面へ首を出した私は、立泳ぎというやつをやりながら、片手でブルッと顔の水をはらって、

「オーイ、飛びこんでみろ」

と友だちに呼びかけました。すると、友だちはむろんなんの気もつかないで、「よし」と言いながら、私と同じ姿勢をとり、勢いよく私のあとを追って、そこへ飛びこみました。

ところが、しぶきを立てて海へもぐったまま、彼はしばらくたっても再び姿を見せないではありませんか……私はそれを予期していました。その海の底には、水面から一間ぐらいの

ところに大きな岩があったのです。私は前もってそれをさぐっておき、友だちの腕前では「飛び込み」をやれば必らず一間以上もぐるにきまっている。従ってこの岩に頭をぶつけるに違いないと、見込みをつけてやった仕事なのです。御承知でもありましょうが、「飛び込み」のわざは、上手なものほど、この水をもぐる度が少ないので、私はそれには十分熟練していたものですから、海底の岩にぶつかる前に、うまく向こうへ浮き上がってしまったのですが、友だちは「飛び込み」にかけてはまだほんの素人だったので、まっさかさまに海底へ突き入って、いやというほど頭を岩へぶつけたに違いないのです。

はたして、しばらく待っていますと、彼はポッカリとマグロの死骸のように海面に浮き上がりました。そして波のまにまにただよっています。いうまでもなく彼は気絶しているのです。

私は彼を抱いて岸に泳ぎつき、そのまま部落へ駈け戻って、宿の者に急をつげました。そこで出漁を休んでいた漁師などがやってきて、友だちを介抱してくれましたが、ひどく脳を打ったためでしょう、もう蘇生の見込みはありませんでした。見ると、頭のてっぺんが五、六寸切れて、白い肉がむくれ上がり、その頭の置かれてあった地面には、おびただしい血潮が赤黒くかたまっていました。

あとにも、先にも、私が警察の取り調べを受けたのは、たった二度きりですが、そのひとつがこの場合でした。なにぶん人の見ていない所で起こった事件ですから、一応の取り調べを受けるのは当然です。しかし、私とその友だちとは親友の間柄で、それまでにいさかい一

つしたこともないとわかっているのですし、また当時の事情としては、私も彼もその海底に岩のあるのを知らず、幸い私は水泳が上手だったために、あやういところをのがれたけれども、彼はそれが下手だったばっかりに、この不祥事を惹き起こしたのだ、ということが明白になったのですから、なんなく疑いは晴れ、私はかえって警察の人たちから「友だちをなくされてお気の毒です」と悔みの言葉までかけてもらう有様でした。

いや、こんなふうに一つ一つ実例を並べていたんでは際限がありません。もうこれだけ申し上げれば、皆さんも私のいわゆる絶対に法律に触れない殺人法を、大体おわかりくださったことと思います。すべてこの調子なんです。ある時はサーカスの見物人の中にまじっていて、突然、ここでお話しするのも恥かしいような途方もない変てこな姿勢を示して、高い所で綱渡りをしていた女芸人の注意を奪い、その女を墜落させてみたり、火事場でわが子を求めて半狂乱のようになっていたどこかの細君に、子供は家の中に寝かせてあるのだ、「ソラ泣いている声が聞こえるでしょう」などと暗示を与えて、その細君を猛火の中へ飛び込ませ、焼き殺してしまったり、或いはまた、今や身投げをしようとしている娘の背後から、突然「待った」と頓狂な声をかけて、そうでなければ、身投げを思いとどまったかもしれないその娘を、ハッとさせた拍子に水の中へ飛び込ませてしまったり、それはお話しすれば限りもないのですけれど、もう夜もふけたことですし、それに、皆さんもこのような残酷な話は、もうこれ以上お聞きになりたくないでしょうから、最後に少し風変わりなのをひとつだけお話しして、終りにすることにいたしましょう。

今までお話ししましたところでは、私はいつも一度にひとりの人間を殺しているように見えますが、そうでない場合もたびたびあったのです。でなければ、三年足らずのあいだに、しかも少しも法律にふれないような方法で、九十九人も人を殺すことはできません。その中でも多人数を一度に殺しましたのは、そうです、昨年の春のことでした。皆さんも当時の新聞できっとお読みになったことと思いますが、中央線の列車が顚覆して、多くの負傷者や死者を出したことがありますね。あれなんです。

なに、ばかばかしいほど造作もない方法だったのですが、それを実行する土地を探すのに可なり手間どりました。ただ最初から中央線の沿線というだけは見当をつけていました。というのは、この線は、私の計画には最も便利な山の中を通っているばかりでなく、列車が顚覆した場合にも、中央線には日頃から事故が多いのですから、ああまたかというくらいで、他の線ほど目立たない利益があったのです。

それにしても、注文通りの場所を見つけるのには、なかなか骨が折れました。結局M駅の近くの崖を使うことに決心するまでには、充分一週間はかかりました。M駅にはちょっとした温泉がありますので、私はそこの宿へ泊り込んで、湯にはいるあいまには付近を歩きまわったりして、いかにも長逗留の湯治客らしく見せかけようとしたのです。そのために十日あまりむだに過ごさねばなりませんでしたが、やがてもう大丈夫だという時を見計らって、ある日、私はいつものようにその辺の山の中を散歩しました。

そして、宿から半里ほどの或る小高い崖の頂上へ辿りつき、私はそこでじっと夕闇の迫ま

ってくるのを待っていました。その崖の真下には汽車の線路がカーブを描いて走ってい、線路の向こう側は、こちらとは反対に、深い嶮しい谷になって、その底にちょっとした谷川が流れているのが、霞むほど遠く見えています。

しばらくすると、あらかじめ定めておいた時間になりました。私は誰も見ているものはなかったのですけれど、わざわざ、ちょっとつまずくような恰好をして、これもあらかじめ探し出しておいた一つの大きな石ころを蹴飛ばしました。それはちょっと蹴りさえすれば、きっと崖からちょうど線路の上あたりへころがり落ちるような位置にあったのです。私はもしやりそこなえば幾度でもほかの石ころでやり直すつもりだったのですが、見ればその石ころはうまいぐあいに一本のレールの上にのっかっています。

半時間の後には下り列車がそのレールを通るのです。その時分にはもうまっ暗になっているでしょうし、その石のある場所はカーブの向こう側なのですから、運転手が気づくはずはありません。それを見定めると、私は大急ぎでM駅へと引き返し……半里の山みちですから、それには三十分以上を費しました……そこの駅長室へはいって行って「大へんです」とさも慌てた調子で叫んだものです。

「私はここへ湯治にきているものですが、いま半里ばかり向こうの、線路に沿った崖の上へ散歩に行っていて、坂になった所を駈けおりようとする拍子に、ふと一つの石ころを崖から下の線路の上へ蹴落としてしまいました。もしもあそこを列車が通ればきっと脱線します。わるくすると谷間へ落ちるようなことがないとも限りません。私はその石をとりのけようと、

いろいろ道を探したのですけれど、何分不案内の山のことですから、どうにもあの高い崖をおりる方法がないのです。ぐずぐずしているよりはと思って、ここへ駈けつけた次第ですが、どうでしょう、至急あれを取りのけていただくわけには行きませんか」

といかにも心配そうな顔をして申しました。

すると駅長は驚いて、

「それは大へんだ、いま下り列車が通過したところです。普通ならあの辺はもう通り過ぎてしまったころですが……」

というのです。これが私の思うつぼでした。そうした問答をくり返しているうちに、列車顚覆死傷数知らずという報告が、僅かに危地を脱して駈けつけた、その下り列車の車掌によってもたらされました。

私は行きがかり上、ひと晩Mの警察署へ引っぱられましたが、考えに考えてやった仕事です。手落ちのあろうはずはありません。むろん私は大へん叱られはしましたけれど、別に処罰を受けるほどのこともないのでした。あとで聞きますと、その時の私の行為は刑法第百二十条とかにさえ……それは五百円以下の罰金刑にすぎないのですが……あてはまらなかったのだそうです。そういうわけで、私は一つの石ころによって、少しも罰せられることなしに、エーとあれは、そうです、十七人でした。十七人の命を奪うことに成功したのでした。

皆さん、私はこんなふうにして九十九人の人命を奪った男なのです。そして、少しでも悔いるどころか、そんな血なまぐさい刺戟にすら、もう飽き飽きしてしまって、今度は自分自

身の命を犠牲にしようとしている男なのです。皆さんは、あまりにも残酷な私の所行に、それ、そのように眉をしかめていらっしゃいます。そうです。これらは普通の人には想像もつかぬ極悪非道の行ないに違いありません。ですが、そういう大罪を犯してまで、のがれたいほどの、ひどいひどい退屈を感じなければならなかったこの私の心持も、少しはお察しが願いたいのです。私という男は、そんな悪事をでも企らむほかには、何ひとつこの人生に生きがいを発見することができなかったのです。皆さん、どうか御判断なすってください。私は狂人なのでしょうか。あの殺人狂という恐ろしい病人なのでしょうか。

かようにして今夜の話し手の、物凄くも奇怪きわまる身の上話は終った。彼は幾分血走った、そして白目勝ちにドロンとした狂人らしい眼で、私たち聴きての顔を一人一人見廻すのだった。しかし誰ひとりこれに答えて批判の口をひらくものはなかった。そこには、ただ薄気味わるくチロチロと瞬くロウソクの焔に照らし出された、七人の上気した顔が、微動さえしないで並んでいた。

ふと、ドアのあたりの垂れ絹の表に、チカリと光ったものがあった。見ていると、その銀色に光ったものが、だんだん大きくなっていた。それは銀色の丸いもので、ちょうど満月が密雲を破って現われるように、赤い垂れ絹のあいだから徐々に全き円形を作りながら現われているのであった。私は最初の瞬間から、それが給仕女の両手に捧げられた、われわれの飲み物を運ぶ大きな銀盆であることを知っていた。でも、不思議にも万象を夢幻化しないでは

おかぬこの「赤い部屋」の空気は、その世の常の銀盆を、何かサロメ劇の古井戸の中から、奴隷がヌッとつき出すところの、あの予言者の生首がのせられた銀盆のようにも幻想せしめるのであった。そして、銀盆が垂れ絹から出きってしまうと、そのあとから、青竜刀のような幅の広い、ギラギラとしたダンビラが、ニョイと出てくるのではないかとさえ思われるのであった。

だが、そこからは、唇の厚い半裸体の奴隷の代りに、いつもの美しい給仕女が現われた。そして、彼女がさも快活に七人の男のあいだを立ち廻って、飲物をくばりはじめると、その、世間とはまるでかけ離れた幻の部屋に、世間の風が吹き込んできたようで、なんとなく不調和な気がしだした。彼女は、この家の階下のレストランの、華やかな歌舞と乱酔と、キャアというような若い女のくだらない悲鳴などを、フワフワとその身辺にただよわせていた。

「そうら、うつよ」

突然Tが、今までの話し声と少しも違わない、落ち着いた調子で言って、右手をポケットに入れると、一つのキラキラ光る物体を取り出して、ヌーッと給仕女の方へさし向けた。

アッという私たちの声と、バン……というピストルの音と、キャッとたまげる女の叫びと、それがほとんど同時だった。

むろん私たちは一斉に席から立ち上がった。しかし、ああ、なんという仕合わせなことであったか、うたれた女は何事もなく、ただ、これのみは無残にも射ちくだかれた飲物のうつわを前にして、ボンヤリ立ちすくんでいるではないか。

「ワハハハハ……」Tが狂人のように笑い出した。「おもちゃだよ、おもちゃだよ。アハハハ……。花ちゃんまんまと一杯食ったね。ハハハハハ」

では、今なおTの右手に白煙を吐いているのは、おもちゃのピストルにすぎなかったのか。

「まあ、びっくりした。……それ、おもちゃなの？」

Tとは以前からおなじみらしい給仕女は、でも、まだ唇の色はなかったが、そういいながらTの方へ近づいた。

「どれ、貸してご覧なさいよ。まあ、ほんものそっくりだわね」

彼女はてれかくしのように、そのおもちゃだという六連発を手にとって、と見こう見していたが、やがて、

「くやしいから、じゃあ、あたしも、うってあげるわ」

いうかと思うと、彼女は左腕を曲げて、その上にピストルの筒口を置き、生意気な恰好でTの胸に狙いを定めた。

「君にうてるなら、うってごらん」

Tはニヤニヤ笑いながら、からかうように言った。

「うてなくってさ」

バン……前よりはいっそう鋭い銃声が部屋じゅうに鳴り響いた。

「ウ、ウ、ウ、ウ……」

なんともいえぬ気味のわるい唸り声がしたかと思うと、Tがヌッと椅子から立ち上がって、

バッタリと床の上へ倒れた。そして、手足をバタバタやりながら、苦悶しはじめた。冗談か、冗談にしてはあまりにも真に迫ったもがきようではないか。

私たちは思わず彼のまわりへ走りよった。隣席にいた一人が、卓上の燭台をとって苦悶者の上にさしつけた。見ると、Tはまっさおな顔を癲癇病みのように痙攣させて、ちょうど傷ついたミミズが、クネクネはね廻るようなぐあいに、からだじゅうの筋肉を伸ばしたり縮めたりしながら、夢中になってもがいていた。そしてだらしなくはだかったその胸の、黒く見える傷口からは、彼が動くたびに、タラリタラリと、まっかな血が、白いワイシャツを伝って流れていた。

おもちゃと見せた六連発の第二発目には、実弾が装塡してあったのだ。

私たちは、長いあいだ、ボンヤリそこに立ったまま、誰一人身動きするものもなかった。奇怪な物語ののちのこの出来事は、私たちにあまりにも烈しい衝動を与えたのだ。それは時計の目盛りからいえば、ほんの僅かな時間だったかもしれない。けれども、少なくともそのときの私には、私たちがそうして何もしないで立っているあいだが、非常に長いように思われた。なぜならば、そのとっさの場合に、苦悶している負傷者を前にして、私の頭には次のような推理の働く余裕が、充分あったのだから。

「意外な出来事には違いない。しかし、よく考えてみると、それは最初からちゃんと、Tの今夜のプログラムに書いてあった計画なのではあるまいか。彼は九十九人までは、他人を殺したけれど、最後の百人目だけは自分自身のために残しておいたのではないだろうか。そし

て、そういうことには最もふさわしいこの『赤い部屋』を、最後の死に場所に選んだのではあるまいか。これは、この男の奇怪きわまる性質を考え合わせると、まんざら見当はずれの想像でもないのだ。そうだ。あの、ピストルをおもちゃだと信じさせておいて、給仕女に発射させた技巧などは、他の殺人の場合と共通の、彼独得のやり方ではないか。こうしておけば、下手人の給仕女は少しも罰せられる心配はない。そこには私たち六人もの証人があるのだ。つまり、Tは彼が他人に対してやったのと同じ方法を、加害者は少しも罪にならぬ方法を、彼自身の場合に応用したものではないか」

私のほかの人たちも、皆それぞれの感慨に耽っているように見えた。そして、それはおそらく私のものと同じだったかもしれない。実際、この場合、そうとよりほか考えかたがなかったのだから。

恐ろしい沈黙が一座を支配していた。そこには、うつぶした給仕女の、さも悲しげにすすり泣く声が、しめやかに聞こえているばかりだった。「赤い部屋」のロウソクの光に照らし出された、この一場の悲劇の場面は、この世の出来事としてはあまりにも夢幻的に見えた。

「ク、ク、ク、ク、ク……」

突如、女のすすり泣きのほかに、もうひとつの異様な声が聞こえてきた。それは、もはやもがくことをやめて、ぐったりと死人のように横たわっていたTの口から洩れるらしく感じられた。氷のような戦慄が私の背中を這い上がった。

「クックックックックッ」

その声はみるみる大きくなって行った。そして、ハッと思うまに、瀕死のTのからだがヒョロヒョロと立ち上がった。立ち上がってもまだ「クックックックッ」という変な音はやまなかった。それは胸の底から絞り出される苦痛の唸り声のようでもあった。だが……もしや……おお、やっぱりそうだったのか。彼は意外にも、さいぜんから、たまらないおかしさをじっと嚙み殺していたのだった。

「皆さん」彼はもう大声に笑い出しながら叫んだ。「皆さんわかりましたか、これが」

すると、ああ、これはまたどうしたことであろう。今の今まであのように泣き入っていた給仕女が、いきなり快活に立ち上がったかと思うと、もうもうたまらないというように、からだをくの字にして、これもまた笑いこけるのだった。

「これはね」やがてTは、あっけにとられた私たちの前に、ひとつ小さな円筒形のものを手の平にのせて、さし出しながら説明した。「牛の膀胱で作った弾丸なのですよ。中に赤インキが一杯入れてあって、命中すれば、それが流れ出す仕掛けです。それからね。この弾丸がにせ物だったと同じように、さっきからの私の身の上話というものもね、はじめからしまいまで、みんな作りごとなんですよ。でも、私はこれで、なかなかお芝居はうまいものでしょう……さて、退屈屋の皆さん、こんなことでは、皆さんが始終お求めなすっている、あの刺戟とやらにはなりませんでしょうかしら……」

彼がこう種明かしをしているあいだに、今まで彼の助手を勤めていた給仕女の気転で、階下のスイッチがひねられたのであろう、突如真昼のような電灯の光が、私たちの眼を眩惑さ

せた。そして、その白く明かるい光線は、忽ちにして、部屋の中にただよっていた、あの夢幻的な空気を一掃してしまった。そこには、暴露された手品の種が、醜いむくろを曝していた。緋色の垂れ絹にしろ、緋色のジュウタンにしろ、同じテーブル掛けや肘掛椅子、はては、あのよしありげな銀の燭台までが、なんとみすぼらしく見えたことよ。「赤い部屋」の中には、どこの隅を探してみても、もはや、夢も幻も、影さえとどめていないのであった。

屋根裏の散歩者

1

多分それは一種の精神病ででもあったのでしょう。郷田三郎は、どんな遊びも、どんな職業も、何をやってみても、いっこうこの世が面白くないのでした。

学校を出てから——その学校とても一年に何日と勘定のできるほどしか出席しなかったのですが——彼にできそうな職業は、片っ端からやってみたのです。けれど、これこそ一生を捧げるに足ると思うようなものには、まだひとつも出くわさないのです。おそらく彼を満足させる職業などは、この世に存在しないのかもしれません。長くて一年、短かいのは一と月ぐらい、彼は職業から職業へと転々しました。そして、とうとう見切りをつけたのか、今では、もう次の職業を探すでもなく、文字通り何もしないで、面白くもないその日その日を送っているのでした。

遊びの方もその通りでした。かるた、球突き、テニス、水泳、山登り、碁、将棋、はては各種の賭博に至るまで、とてもここには書き切れないほどの、遊戯という遊戯はひとつ残らず、娯楽百科全書というような本まで買い込んで、探し廻って試みたのですが、職業同様、これはというものもなく、彼はいつも失望させられていました。だが、この世には「女」と「酒」という、どんな人間だって一生涯飽きることのない、すばらしい快楽があるではない

か。諸君はきっとそうおっしゃるでしょうね。ところが、わが郷田三郎は、不思議とその二つのものに対しても興味を感じないのでした。酒は体質に適しないのか、一滴も飲めませんし、女の方は、むろんその欲望がないわけではなく、相当遊びなどもやっているのですが、そうかといって、これあるがために生き甲斐を感じるというほどには、どうしても思えないのです。

「こんな面白くない世の中に生き長らえているよりは、いっそ死んでしまった方がましだ」

ともすれば、彼はそんなことを考えました。しかし、そんな彼にも、生命をおしむ本能だけは備わっていたとみえて、二十五歳のきょうが日まで、「死ぬ死ぬ」といいながら、つい死に切れずに生き長らえているのでした。

親許から月々いくらかの仕送りを受けることのできる彼は、職業を離れても別に生活には困らないのです。一つはそういう安心が、彼をこんな気まま者にしてしまったのかもしれません。そこで彼は、その仕送り金によって、せめていくらかでも面白く暮らすことに腐心しました。たとえば、職業や遊戯と同じように、頻繁に宿所を換えて歩くことなどもそのひとつでした。彼は、少し大げさにいえば、東京中の下宿屋を一軒残らず知っていました。一と月か半月もいると、すぐに次の別の下宿屋へと住みかえるのです。むろんそのあいだには、放浪者のように旅をして歩いたこともあります。或いはまた仙人のように山奥へ引き込んでみたこともあります。でも、都会に住みなれた彼には、とても淋しい田舎に長くいることはできません。ちょっと旅に出たかと思うと、いつの間にか、都会のともし火に、雑沓に、引

き寄せられるように、彼は東京へ帰ってくるのでした。そして、そのたびごとに下宿屋を換えたことはいうまでもありません。

さて、彼が今度移ったうちは、東栄館という、新築したばかりの、まだ壁に湿り気のあるような、新らしい下宿屋でしたが、ここで彼はひとつのすばらしい楽しみを発見しました。そして、この一篇の物語は、その彼の新発見に関連したある殺人事件を主題とするのですが、お話をその方に進める前に、主人公の郷田三郎が、素人探偵の明智小五郎と知り合いになり、今までいっこう気づかないでいた「犯罪」という事柄に、新らしい興味を覚えるようになったいきさつについて、少しばかりお話ししておかねばなりません。

二人が知り合いになったきっかけは、或るカフェで彼らが偶然一緒になり、その時同伴していた友だちが、明智を知っていて紹介したことからでしたが、三郎はその時、明智の聡明らしい容貌や、話しっぷりや、身のこなしなどに、すっかり引きつけられてしまって、それからはしばしば彼を訪ねるようになり、また時には彼の方からも三郎の下宿へ遊びにくるような仲になったのです。明智の方では、ひょっとしたら、三郎の病的な性格に（一種の研究材料として）興味を見いだしていたのかもしれませんが、三郎は明智からさまざまの魅力に富んだ犯罪談を聞くことを、他意もなく喜んでいるのでした。

同僚を殺害して、その死体を実験室の竈で灰にしてしまおうとしたウェブスター博士の話、数カ国の言葉に通暁し、言語学上の大発見までしたユージン・エアラムの殺人罪、いわゆる保険魔で、同時にすぐれた文芸評論家であったウェーンライトの話、小児の臀肉を煎じて養

父の癩病を治そうとした野口男三郎の話、さては、あまたの女を女房にしては殺して行った、いわゆるブルーベヤドのランドルーだとか、アームストロングなどの残虐な犯罪談、それらが退屈しきっていた郷田三郎をどんなに喜ばせたことでしょう。明智の雄弁な話しぶりを聞いていますと、それらの犯罪物語は、まるで、けばけばしい極彩色の絵巻物のように、底知れぬ魅力をもって、三郎の眼前にまざまざと浮かんでくるのでした。

明智を知ってから、二、三カ月というものは、三郎は殆んどこの世の味気なさを忘れたかに見えました。彼はさまざまの犯罪に関する書物を買い込んで、毎日毎日それに読み耽るのでした。それらの書物の中には、ポーだとかホフマンだとか、或いはガボリオだとか、そのほかいろいろの探偵小説なども混じっていました。「ああ、世の中には、まだこんな面白いことがあったのか」彼は書物の最終のページをとじるごとに、ホッとため息をつきながら、そう思うのでした。そして、できることなら、自分も、それらの犯罪物語の主人公のような、目ざましい、けばけばしい遊戯をやってみたいものだと、大それたことまで考えるようになりました。

しかし、いかな三郎も、さすがに法律上の罪人になることだけは、どう考えてもいやでした。彼はまだ、両親や、兄弟、親戚知己などの悲歎や侮辱を無視してまで、楽しみに耽る勇気はないのです。それらの書物によりますと、どのような巧妙な犯罪でも、必ずどこかに破綻があって、それが犯罪発覚のいと口になり、一生涯警察の眼をのがれているということは、ごく僅かの例外を除いては、全く不可能のように見えます。彼にはただそれが恐ろしいので

した。彼の不幸は、世の中のすべての事柄に興味を感じないで、事もあろうに「犯罪」にだけ、いい知れぬ魅力を覚えたことでした。そして、いっそうの不幸は、発覚を恐れるために、その「犯罪」を行ない得ないということでした。

そこで彼は、ひと通り手に入るだけの書物を読んでしまうと、今度は「犯罪」のまね事をはじめました。まね事ですから、むろん処罰を恐れる必要はないのです。それはたとえばこんなことを。

彼はもうとっくに飽き果てていた、あの浅草に再び興味を覚えるようになりました。おもちゃの箱をぶちまけて、その上からいろいろのあくどい絵の具をたらしかけたような浅草の遊園地は、犯罪嗜好者にとっては、こよなき舞台でした。彼は、そこへ出かけては、映画館と映画館のあいだの、人ひとり漸く通れるくらいの細い暗い路地や、共同便所のうしろなどにある、浅草にもこんな余裕があるのかと思われるような、妙にがらんとした空き地を、好んでさ迷いました。そして、犯罪者が同類と通信するためでもあるかのように、白墨でその辺の壁に矢の印を書いて廻ったり、金持ちらしい通行人を見かけると、自分がスリにでもなった気で、どこまでもどこまでも、そのあとを尾行してみたり、妙な暗号文を書いた紙切れを――それにはいつも恐ろしい殺人に関する事柄などを認めてあるのです――公園のベンチの板のあいだへはさんでおいて、木かげに隠れて、誰かがそれを発見するのを待ち構えていたり、そのほかこれに類したさまざまの遊戯を行なっては、独り楽しむのでした。

彼はまた、しばしば変装をして、町から町をさまよい歩きました。労働者になってみたり、

乞食になってみたり、学生になってみたり、いろいろの変装をした中でも、女装をすることが、最も彼の病癖を喜ばせました。そのためには、彼は着物や時計などを売りとばして金を作り、高価なかつらだとか女の古着だとかを買い集め、長い時間かかって、好みの女すがたになりますと、頭の上からすっぽりと外套をかぶって、夜ふけに下宿屋の入口を出るのです。そして、適当な場所で外套をぬぐと、あるときは淋しい公園をぶらついてみたり、あるときはもうはねる時分の映画館へはいって、わざと男子席の方へ紛れ込んでみたり〔註、大正末期の映画館は男女の席がわかれていた〕はては、そこの男たちに、きわどいいたずらまでやってみるのです。そして、服装による一種の錯覚から、さも自分が妲己のお百だとか、うわばみお由だとかいう毒婦にでもなった気持で、いろいろな男たちを自由自在に翻弄する有様を想像しては、喜んでいたのです。

　しかし、これらの犯罪のまねごとは、或る程度まで彼の欲望を満足させてはくれましたけれども、そして、時にはちょっと面白い事件を惹き起こしなぞして、その当座は充分慰めにもなったのですけれど、まねごとはどこまでもまねごとで、危険がないだけに――「犯罪」の魅力は見方によってはその危険にこそあるのですから――興味も乏しく、そういつまでも彼を有頂天にさせる力はありませんでした。ものの三カ月もたちますと、いつとなく彼はこの楽しみから遠ざかるようになりました。そして、あんなにもひきつけられていた明智との交際も、だんだん遠々しくなって行くのでした。

2

以上のお話によって、郷田三郎と明智小五郎との交渉、または三郎の犯罪嗜好癖などについて、読者に呑み込んでいただいた上、さて、本題に戻って、東栄館という新築の下宿屋で、郷田三郎がどんな楽しみを発見したかという点に、お話を進めることにいたしましょう。

三郎が東栄館の建築ができ上がるのを待ちかねて、いの一番にそこへ引き移ったのは、彼が明智と交際を結んだ時分から、一年以上もたっていました。従ってあの「犯罪」のまねごとにも、もうほとんど興味がなくなり、といって、ほかにそれにかわるような楽しみもなく、彼は毎日毎日の退屈な長々しい時間を、過ごしかねていました。東栄館に移った当座は、それでも、新しい友だちができたりして、いくらか気がまぎれていましたけれど、人間というものはなんと退屈きわまる生きものなのでしょう。どこへ行ってみても、同じような思想を、同じような表情で、同じような言葉で、繰り返し繰り返し発表し合っているにすぎないのです。せっかく下宿屋を替えて、新らしい人たちに接してみても、一週間たつかたたないうちに、彼はまたしても、底知れぬ倦怠の中に沈みこんでしまうのでした。

そうして、東栄館に移って十日ばかりたった或る日のことです。退屈のあまり、彼はふと妙なことを考えつきました。

彼の部屋には——それは二階にあったのですが——安っぽい床の間の隣に、一間の押入れ

がついていて、その内部は、鴨居と敷居とのちょうど中程に、押入れ一杯の頑丈な棚があって、上下二段にわかれているのです。彼はその下段の方に数個の行李を納め、上段には蒲団をのせることにしていましたが、一々そこから蒲団を取り出して、部屋のまん中へ敷くかわりに、始終棚の上に寝台のように蒲団を重ねておいて、眠くなったらそこへ上がって寝ることにしたらどうだろう。彼はそんなことを考えたのです。これが今までの下宿屋であったら、たとえ押入れの中に同じような棚があっても、壁がひどく汚れていたり、天井に蜘蛛の巣が張っていたりして、ちょっとその中へ寝る気にはなれなかったのでしょうが、ここの押入れは、新築早々のことですから非常に綺麗で、天井もまっ白なれば、黄色く塗った滑らかな壁にも、しみひとつできてはいませんし、そして、全体の感じが、棚の作り方にもよるのでしょうが、なんとなく船の中の寝台に似ていて、妙に、一度そこへ寝てみたいような誘惑を感じさえするのでした。

そこで、彼はさっそくその晩から押入れの中へ寝ることをはじめました。この下宿は、部屋ごとに内部から戸締まりができるようになっていて、女中などが無断ではいってくるようなこともなく、彼は安心してこの奇行をつづけることができるのでした。さて、そこへ寝てみますと、予期以上に感じがいいのです。四枚の蒲団を積み重ね、その上にフワリと寝ころんで、眼の上二尺ばかりの所に迫っている天井を眺める心持は、ちょっと異様な味わいのあるものです。襖をピッシャリ締め切って、隙間から洩れてくる糸のような電気の光を見ていますと、なんかこう自分が探偵小説の中の人物にでもなったような気がして、愉快ですし、

またそれを細目にあけて、そこから、自分自身の部屋を、泥棒が他人の部屋をでも覗くような気持で、いろいろの激情的な場面を想像しながら、眺めているのも、興味がありました。時によると、彼は昼間から押入れにはいり込んで、一間と三尺の長方形の箱のような中で、大好物の煙草をプカリプカリとふかしながら、取りとめもない妄想に耽ることもありました。そんな時には、しめ切った襖の隙間から、押入れの中で火事でもはじまったのではないかと思われるほど、おびただしい白煙が洩れているのでした。

ところが、この奇行を二、三日つづけているあいだに、彼はまたしても、妙なことに気がついたのです。飽きっぽい彼は、三日目あたりになると、もう押入れの寝台にも興味がなくなって、所在なさに、そこの壁や、寝ながら手の届く天井板に、落書きなどをしていましたが、ふと気がつくと、ちょうど頭の上の一枚の天井板が、釘を打ち忘れたのか、なんだかフカフカと動くようなのです。どうしたのだろうと思って、手で突っぱって持ち上げてみますと、なんなく上の方へはずれることははずれるのですが、妙なことには、その手を離すと、釘づけにした箇所はひとつもないのに、まるでバネ仕掛けのように、もともと通りになってしまいます。どうやら、何者かが上からおさえつけているような手ごたえなのです。

はてな、ひょっとしたら、ちょうどこの天井板の上に、何か生きものが、たとえば大きな青大将か何かがいるのではあるまいかと、三郎は俄かに気味がわるくなってきましたが、そのまま逃げ出すのも残念なものですから、なおも手で押し試みていますと、ズッシリと重い手ごたえを感じるばかりでなく、天井板を動かすたびに、その上でなんだかゴロゴロと鈍い

音がするではありませんか。いよいよ変です。そこで彼は思い切って、力まかせにその天井板をはねのけてみました。すると、その途端、ガラガラという音がして、上から何かが落ちてきたのです。彼はとっさの場合、ハッと片わきへ飛びのいたからよかったものの、もしそうでなかったら、その物体に打たれて大怪我をしているところでした。

「なあんだ、つまらない」

ところが、その落ちてきた物体を見ますと、何か変ったものであればよいがと、少なからず期待していた彼は、あまりのことに呆れてしまいました。それは漬物石を小さくしたような、ただの石ころにすぎないのでした。よく考えてみれば、別に不思議でもなんでもありません。電灯工夫が天井裏へもぐる通路にと、天井板を一枚だけわざとはずして、そこからゴミなどが押入れにはいらぬように、石ころで重しがしてあったのです。

それはいかにも、とんだ喜劇でした。でも、その喜劇が機縁となって、郷田三郎は、あるすばらしい楽しみを発見することになったのです。

彼はしばらくのあいだ、自分の頭の上にひらいている、ほら穴の入口とでもいった感じのする、その天井の穴を眺めていましたが、ふと、持ち前の好奇心から、いったい天井裏というものは、どんなふうになっているのだろうと、おそるおそるその穴に首を入れて、四方を見まわしました。それはちょうど朝のことで、屋根の上にはもう陽が照りつけているとみえ、方々の隙間からたくさんの細い光線が、まるで大小無数の探照灯を照らしてでもいるように、屋根裏の空洞へさし込んでいて、そこは存外明かるいのです。

先ず（ま）眼につくのは、縦に長々と横たえられた、太い、曲がりくねった、大蛇（だいじゃ）のような棟木（むなぎ）です。明かるいといっても屋根裏のことで、そう遠くまでは見通しが利（き）かないのと、それに、細長い建物ですから、実際長い棟木でもあったのですが、それが、向こうの方は霞（かす）んで見えるほど、遠く遠く連なっているように思われます。そして、その棟木と直角にこれは大蛇の肋骨（ろっこつ）に当たるたくさんの梁（はり）が、両側へ、屋根の傾斜に沿ってニョキニョキと突き出ています。それだけでもずいぶん雄大な景色ですが、その上、天井を支えるために、梁から無数の細い棒が下がっていて、それがまるで鍾乳洞の内部を見るような感じを起こさせます。

「これはすてきだ」

一応屋根裏を見まわしてから、三郎は思わずそうつぶやくのでした。病的な彼は、世間普通の興味にはひきつけられないで、常人には下らなく見えるような、こうしたことに、かえって言い知れぬ魅力をおぼえるのです。

その日から、彼の「屋根裏の散歩」がはじまりました。夜となく昼となく、暇さえあれば、彼は泥棒猫（どろぼうねこ）のように足音を盗んで、棟木や梁の下を伝い歩くのです。幸いなことには、建てたばかりの家ですから、屋根裏につき物のクモの巣もなければ、煤（すす）やホコリもまだ少しも溜（た）まっていず、鼠（ねずみ）の汚したあとさえありません。ですから、着物や手足の汚なくなる心配はないのです。彼はシャツ一枚になって、思うがままに屋根裏を跳梁（ちょうりょう）しました。時候もちょうど春のことで、屋根裏だからといって、さして暑くも寒くもないのです。

3

東栄館の建物は、下宿屋などにはよくある、中央に庭を囲んで、そのまわりに、桝型に、部屋が並んでいるような作り方でしたから、したがって、屋根裏もずっとその形につづいていて、行き止まりというものがありません。彼の部屋の天井裏から出発して、グルッとひと廻りしますと、また元の彼の部屋の上まで帰ってくるようになっています。

下の部屋々々には、さも厳重に壁の仕切りができていて、その出入口には締まりをするための金具まで取りつけてあるのに、一度天井裏に上がってみますと、これはまたなんという開放的な有様でしょう。誰の部屋の上を歩き廻ろうと、自由自在なのです。もしその気があれば、三郎の部屋のと同じような、石ころの重しのしてある箇所が方々にあるのですから、そこから他人の部屋へ忍びこんで、盗みを働くこともできます。廊下を通って、それをするのは、今もいうように、桝型の建物の各方面に人眼があるばかりでなく、いつなん時ほかの下宿人や女中などが通り合わさないとも限りませんから、非常に危険ですけれど、天井裏の通路からでは、絶対にその危険がありません。

それからまた、ここでは他人の秘密を隙見することも、勝手次第なのです。新築とはいっても、下宿屋の安普請のことですから、天井には到る所に隙間があります——部屋の中にいては気がつきませんけれど、暗い屋根裏から見ますと、その隙間が意外に多いのに一驚を喫

します——稀には、節穴さえもあるのです。

この屋根裏という屈強の舞台を発見しますと、郷田三郎の頭には、いつの間にか忘れてしまっていた、あの犯罪嗜好癖がまたムラムラと湧き上がってくるのでした。この舞台でならば、あの当時試みたそれよりも、もっともっと刺戟の強い「犯罪のまね事」ができるに違いない。そう思うと、彼はもう嬉しくてたまらないのです。どうしてまあ、こんな手近な所に、こんな面白い興味があるのを、今まで気づかないでいたのでしょう。魔物のように暗闇の世界を歩き廻って、二十人に近い東栄館の二階じゅうの下宿人の秘密を、次から次へと隙見して行く、そのことだけでも、三郎はもう充分愉快なのです。そして、久かたぶりで、生き甲斐を感じさえするのです。

彼はまた、この「屋根裏の散歩」を、いやが上にも、興深くするために、先ず、身支度からして、さも本ものの犯罪人らしく装うことを忘れませんでした。ピッタリ身についた、濃い茶色の毛織のシャツ、同じズボン下——なろうことなら、昔映画で見た、女賊プロテアのように、まっ黒なシャツを着たかったのですけれど、あいにくそんな物は持ち合わせていないので、まあ我慢することにして……足袋をはき手袋をはめ——天井裏は、皆荒削りの木材ばかりで、指紋の残る心配などはほとんどないのですが——そして、手にはピストルが……欲しくても、それがないので、懐中電灯を持つことにしました。

夜ふけなど、昼とは違って、洩れてくる光線の量がごく僅かなので、一寸先も見分けられぬ闇の中を、少しも物音を立てないように注意しながら、その姿で、ソロリソロリと天井裏

を這っていますと、何かこう、自分が蛇にでもなったような気がして、われながら妙に恐ろしくなってきます。でも、その恐ろしさが、なんの因果か、彼にはゾクゾクするほど嬉しいのです。

こうして、数日、彼は有頂天になって、「屋根裏の散歩」をつづけました。そのあいだには、予期にたがわず、いろいろと彼を喜ばせるような出来事があって、それをしるすだけでも、充分一篇の小説ができ上がるほどですが、この物語の本題には直接関係のない事柄ですから、残念ながら端折って、ごく簡単に二、三の例をお話しするにとどめましょう。

天井からの隙見というものが、どれほど異様に興味のあるものだかは、実際やってみた人でなければおそらく想像もできますまい。たとえ、その下に別段の事件が起こっていなくても、誰も見ているものがないと信じて、その本性をさらけ出した人間というものを観察するだけで、充分面白いのです。よく注意してみますと、ある人々は、そのそばに他人のいる時と、ひとり切りの時とでは、立居ふるまいはもちろん、その顔の相好までが、まるで変るものだということを発見して、彼は少なからず驚きました。それに、ふだん、横から同じ水平線で見るのと違って、真上から見おろすのですから、この、眼の角度の相違によって、あたり前の座敷が、ずいぶん異様な景色に感じられます。人間は頭のてっぺんや両肩が、本箱、机、簞笥、火鉢などは、その上方の面だけが主として眼に映ります。そして、壁というものは、ほとんど見えなくて、そのかわりに、すべての品物のバックには、畳が一杯にひろがっているのです。

何事がなくても、こうした興味がある上に、そこには、往々にして、滑稽な、悲惨な、或いは物凄い光景が展開されています。ふだん過激な反資本主義の議論を吐いている会社員が、誰も見ていない所では、貰ったばかりの昇給の辞令を、折鞄から出したり、しまったり、幾度も幾度も、飽かずに打ち眺めて喜んでいる光景、ゾロリとしたお召の着物を不断着にして、はかない豪奢ぶりを示している或る相場師が、いざ床につく時には、その、昼間はさも無造作に着こなしていた着物を、女のように、丁寧に畳んで、蒲団の下へ敷くばかりか、しみでもついたのと見えて、それを丹念に口で舐めて——お召などの小さな汚れは、口で舐めとるのがいちばんいいのだといいます——一種のクリーニングをやっている光景、何々大学の野球の選手だというニキビづらの青年が、運動家にも似合わない臆病さをもって、女中への付け文を、食べてしまった夕飯のお膳の上へ、のせてみたり、思い返して引っ込めてみたり、またのせてみたり、モジモジと同じことを繰り返している光景。中には、大胆にも、淫売婦(?)を引き入れて、茲に書くことを憚るような、すさまじい狂態を演じている光景さえも、たれ憚らず、見たいだけ見ることができるのです。

三郎はまた、下宿人と下宿人との、感情の葛藤を研究することに、興味を持ちました。同じ人間が、相手によって、さまざまに態度をかえて行く有様、今の先まで、笑顔で話し合っていた相手を、隣の部屋へきては、まるで不倶戴天の仇でもあるように罵っている者もあれば、コウモリのように、どちらへ行っても、都合のいいお座なりを言って、蔭でペロリと舌を出している者もあります。そして、それが女の下宿人——東栄館の二階には一人の女画

学生がいたのです——になるといっそう興味があります。「三角関係」どころではありません。五角六角と、複雑した関係が、手に取るように見えるばかりか、競争者たちの誰も知らない本人の真意が、局外者の「屋根裏の散歩者」にだけ、ハッキリとわかるではありませんか。おとぎ話に隠れ蓑というものがありますが、天井裏の三郎は、いわばその隠れ蓑を着ているも同然なのです。

もしその上、他人の部屋の天井板をはがして、そこへ忍び込み、いろいろないたずらをやることができたら、いっそう面白かったでしょうが、三郎には、その勇気がありませんでした。そこには、三室に一カ所くらいの割合で、三郎の部屋のと同様に、石ころで重しをした抜け道があるのですから、忍び込むのは造作もありませんけれど、いつ部屋のぬしが帰ってくるかしれませんし、そうでなくとも、窓はみな透明なガラス障子になっていますから、そとから見つけられる危険もあり、それに、天井板をめくって押入れの中へ降り、襖をあけて部屋にはいり、また押入れの棚へよじのぼって、元の屋根裏へ帰る、そのあいだには、どうかして物音を立てないとも限りません。それを廊下や隣室から気づかれたら、もうおしまいなのです。

さて、或る夜ふけのことでした。三郎は、一巡「散歩」をすませて、自分の部屋へ帰るために、梁から梁を伝っていましたが、彼の部屋とは、庭を隔てて、ちょうど向かい側になっている棟の、一方の隅の天井に、ふと、これまで気のつかなかった、かすかな隙間を発見しました。径二寸ばかりの雲形をして、糸よりも細い光線が洩れているのです。なんだろうと

思って、彼はソッと懐中電灯をともして、調べてみますと、それは可なり大きな木の節で、半分以上まわりの板から離れているのですが、その半分で、やっとつながり、あやうく節穴になるのをまぬがれたものでした。ちょっと爪でこじりさえすれば、なんなく離れてしまいそうなのです。そこで、三郎はほかの隙間から下を見て、部屋のあるじがすでに寝ていることを確かめた上、音のしないように注意しながら、長いあいだかかって、とうとうそれをはがしてしまいました。都合のいいことには、はがしたあとの節穴が杯形に下側が狭くなっていますので、その木の節を元々通りつめてさえおけば、下へ落ちるようなことはなく、そこにこんな大きな覗き穴があるのを、誰にも気づかれずにすむのです。

これはうまいぐあいだと思いながら、その節穴から下を覗いてみますと、ほかの隙間のように、縦には長くても、幅はせいぜい一分内外の不自由なのと違って、下側の狭い方でも直径一寸以上はあるのですから、部屋の全景が楽々と見渡せます。そこで、三郎は思わず道草を食って、その部屋を眺めたことですが、それは偶然にも、東栄館の止宿人の内で、三郎のいちばん虫の好かぬ、遠藤という歯科医学校卒業生で、目下はどっかの歯医者の助手を勤めている男の部屋でした。その遠藤が、いやにのっぺりしたむしずの走るような顔を、いっそうのっぺりさせて、すぐ眼の下に寝ているのでした。

ばかに几帳面な男と見えて、部屋の中は、ほかのどの止宿人のそれにもまして、キチンと整頓しています。机の上の文房具の位置、本箱の中の書物の並べ方、蒲団の敷き方、枕許に置き並べた、舶来物でもあるのか、見なれぬ形の眼覚し時計、漆器の巻煙草入れ、色硝子の

灰皿、いずれを見ても、それらの品物の主人公が、世にも綺麗好きな人物であることがわかります。また遠藤自身の寝姿も実に行儀がいいのです。ただ、それらの光景にそぐわぬのは、彼が大きな口をあいて、雷のような鼾をかいていることでした。

三郎は、何か汚ないものでも見るように眉をしかめて、遠藤の寝顔を眺めました。彼の顔は、綺麗といえば綺麗です。なるほど彼自身で吹聴する通り、女などには好かれる顔かもしれません。しかし、なんという間伸びな、長々とした顔の造作でしょう。濃い頭髪、顔全体が長い割には変に狭い富士額、短かい眉、細い眼、始終笑っているような目尻の皺、長い鼻、そして異様に大ぶりな口。三郎はこの口がどうにも気に入らないのでした。鼻の下の所から段をなして、上顎と下顎とが、オンモリと前方へせり出し、その部分一杯に、青白い顔と妙な対照をなして、大きな紫色の唇がひらいています。そして、肥厚性鼻炎ででもあるのか、始終鼻を詰まらせ、その大きな口をポカンとあけて呼吸をしているのです。鼾をかくのも、やっぱり鼻の病気のせいなのでしょう。

三郎は、いつでもこの遠藤の顔を見さえすれば、なんだかこう背中がムズムズしてきて、彼ののっぺりした頬っぺたを、いきなり殴りつけてやりたいような気持になるのでした。

4

そうして、遠藤の寝顔を見ているうちに、三郎はふと妙なことを考えました。それは、そ

の節穴から唾をはけば、ちょうど遠藤の大きくひらいた口の中へ、うまくはいりはしないかということでした。なぜなら、彼の口は、まるで誂えでもしたように、節穴の真下の所にあったのです。三郎は物好きにも、腿引の下にはいていた、猿股の紐を抜き出して、それを節穴の上に垂直に垂らし、片眼を紐にくっつけて、ちょうど銃の照準でも定めるように、ためしてみますと、不思議な偶然です。紐と、節穴と、遠藤の口とが、全く一点に見えるのです。つまり節穴から唾を吐けば、必ず彼の口へ落ちるに違いないことがわかったのです。

しかし、まさかほんとうに唾を吐きかけるわけにもいきませんので、三郎は、節穴を元の通りに埋めておいて、立ち去ろうとしましたが、その時、不意にチラリと、或る恐ろしい考えが彼の頭に閃めきました。彼は思わず、屋根裏のくら闇の中で、まっ青になってブルブルと震えました。それは実に、なんの恨みもない遠藤を殺害するという考えだったのです。

彼は遠藤に対してなんの恨みもないばかりか、まだ知合いになってから半月もたってはいないのでした。それも、偶然二人の引っ越しが同じ日だったものですから、それを縁に、二、三度部屋を訪ね合ったばかりで、別に深い交渉があるわけではないのです。では、なぜその遠藤を殺そうなどと考えたかといいますと、今もいうように、彼の容貌や言動が殴りつけたいほど虫が好かぬということも、多少手伝っていましたけれど、三郎のこの考えの主たる動機は、相手の人物にあるのではなくて、ただ殺人行為そのものの興味にあったのです。さっきからお話ししてきた通り、三郎の精神状態は非常に変態的で、犯罪嗜好癖ともいうべき病気を持っていて、その犯罪の中でも彼が最も魅力を感じたのは殺人罪なのですから、こうし

た考えの起こるのも決して偶然ではないのです。ただ、今までは、たとえしばしば殺意を生ずることがあっても、罪の発覚を恐れて、一度も実行しようなどと思ったことがないばかりです。

ところが、今の遠藤の場合は、全然疑いを受けないで、発覚のおそれなしに、殺人が行なわれそうに思われます。わが身に危険さえなければ、たとえ相手が見ず知らずの人間であろうと、三郎はそんなことを顧慮するのではありません。むしろ、その殺人行為が残虐であればあるほど、彼の異常な欲望は、いっそう満足させられるのでした。それでは、なぜ遠藤に限って殺人罪が発覚しないか──少なくとも三郎がそう信じていたか──と言いますと、それには次のような事情があったのです。

東栄館へ引っ越して四、五日たった時分でした。三郎は懇意になったばかりの、或る同宿者と、近所のカフェへ出掛けたことがあります。その時、同じカフェに遠藤も来ていて、三人がひとつテーブルに寄って酒を──もっとも酒の嫌いな三郎はコーヒーでしたけれど──飲んだりして、三人とも大分いい心持になって、連れ立って下宿へ帰ったのですが、少しの酒に酔っぱらった遠藤は、「まあ僕の部屋へ来てください」と無理に二人を彼の部屋へ引っぱり込みました。遠藤は独りではしゃいで、夜がふけているのも構わず、女中を呼んでお茶を入れさせたりして、カフェから持ち越しののろけ話を繰り返すのでした──三郎が彼を嫌い出したのはその晩からです──その時、遠藤は、まっ赤に充血した唇をペロペロと舐め廻しながら、さも得意らしくこんなことを言うのでした。

「その女とですね、僕は一度情死をしかけたことがあるのですよ。まだ学校にいたころですが、ホラ、僕のは医学校でしょう。薬を手に入れるのはわけないんです。で、二人が楽に死ねるだけのモルヒネを用意して、聞いてください、塩原へ出かけたもんです」

そう言いながら、彼はフラフラと立ち上がって、押入れの前へ行き、ガタガタ襖をあけると、中に積んであった行李の底から、ごく小さい、小指の先ほどの、茶色の瓶を探してきて、聴き手の方へさし出すのでした。瓶の中には、底の方にホンのぽっちり、何か白いものがはいっていました。

「これですよ。これっぽっちで、充分二人の人間が死ねるのですからね……しかし、あなた方、こんなことをしゃべっちゃいやですよ、ほかの人に」

そして、彼ののろけ話は、さらに長々と、止めどもなくつづいたことですが、三郎は今、その時の毒薬のことを、計らずも思い出したのです。

「天井の節穴から、毒薬を垂らして、人殺しをする！　まあなんという奇想天外な、すばらしい犯罪だろう」

彼は、この妙案に、すっかり有頂天になってしまいました。よく考えてみれば、その方法は、いかにもドラマティックなだけ、可能性に乏しいものだということがわかるのですが、そしてまた、何もこんな手数のかかることをしないでも、ほかにいくらも簡便な殺人法があったはずですが、異常な思いつきに眩惑させられた彼は、何を考える余裕もないのでした。そして、彼の頭には、ただもう計画についての都合のいい理窟ばかりが、次から次へと浮か

んでくるのです。

先ず薬を盗み出す必要がありました。が、それはわけのないことです。遠藤の部屋を訪ねて話し込んでいれば、そのうちには、便所へ立つとかなんとか、彼が席をはずすこともあるでしょう。そのすきに、見覚えのある行李から、茶色の小瓶を取り出しさえすればいいのです。遠藤は、始終その行李の底を調べているわけではないのですから、二日や三日で気のつくこともありますまい。たとえまた、気づかれたところで、その毒薬の入手径路が、すでに違法なのですから、表沙汰になるはずもなく、それに、上手にやりさえすれば、誰が盗んだのかもわかりはしません。

そんなことをしないでも、天井から忍び込む方が楽ではないでしょうか。いやいや、それは危険です。先にもいうように、部屋のぬしがいつ帰ってくるかしれませんし、ガラス障子のそとから見られる心配もあります。第一、遠藤の部屋の天井には、三郎の室のように、石ころで重しをした、あの抜け道がないのです。どうしてどうして、釘づけになっている天井板をはがして忍び入るなんて危険なことができるものですか。

さて、こうして手に入れたこな薬を、水に溶かして、鼻の病気のために始終ひらきっぱなしの遠藤の大きな口へ垂らし込めば、それでいいのです。ただ心配なのは、うまく呑み込んでくれるかどうかという点ですが、なに、それも大丈夫です。なぜといって、薬がごく少量で、溶き方を濃くしておけば、ほんの数滴で足りるのですから、熟睡している時なら、気もつかないくらいでしょう。また、気がついたにしてもおそらく吐き出す暇なんかありますま

い。それから、モルヒネが苦い薬だということも、三郎はよく知っていましたが、たとえ苦くとも分量が僅かですし、なおその上に砂糖でも混ぜておけば、万々失敗する気遣いはありません。誰にしても、まさか天井から毒薬が降ってこようなどとは想像もしないでしょうから、遠藤がとっさの場合、そこへ気のつくはずはないのです。

　しかし、薬がうまく利くかどうか、遠藤の体質に対して、多すぎるか或いは少なすぎるかして、ただ苦悶するだけで死に切らないというようなことはあるまいか。これが問題です。なるほどそんなことになれば非常に残念ではありますが、でも、三郎の身に危険を及ぼす心配はないのです。というのは、節穴は元々通り蓋をしてしまいますし、天井裏にも、そこにはまだホコリなど溜まっていないのですから、なんの痕跡も残りません。指紋は手袋で防いであります。たとえ天井から毒薬を垂らしたことがわかっても、誰の仕業だか知れるはずはありません。殊に彼と遠藤とは、昨今の交際で、恨みを含むような間柄でないことは周知の事実なのですから、彼に嫌疑のかかる道理がないのです。いや、そうまで考えなくても、熟睡中の遠藤に、薬の落ちてきた方角などが、わかるものではありません。

　これが、三郎の屋根裏で、また部屋へ帰ってから、考え出した虫のいい理窟でした。読者はすでに、たとえ以上の諸点がうまく行くとしても、そのほかにひとつの重大な錯誤のあることを気づかれたことと思います。が、彼はいよいよ実行に着手するまで、不思議にも、そこへ気がつかないのでした。

5

　三郎が、都合のよい折を見計らって、遠藤の部屋を訪問したのは、それから四、五日たった時分でした。むろんそのあいだには、彼はこの計画について、繰り返し繰り返し考えた上、大丈夫危険がないと見極わめをつけることができたのです。のみならず、いろいろと新らしい工夫をつけ加えもしました。たとえば、毒薬の瓶の始末についての考案もそれです。

　もしうまく遠藤を殺害することができたならば、彼はその瓶を、節穴から下へ落としておくことにきめました。そうすることによって、彼は二重の利益が得られます。一方では、もし発見されれば重大な手掛りになるところのその瓶を、隠匿する世話がなくなること、他方では、死人のそばに毒物の容器が落ちていれば、誰しも遠藤が自殺したのだと考えるに違いないこと、そして、その瓶が遠藤自身の品であるということは、いつか三郎と一緒に彼ののろけ話を聞かされた男が、うまく証明してくれるに違いないのです。なお都合のよいのは、遠藤は毎晩、キチンと締まりをして寝ることでした。入口はもちろん、窓にも、中から金具で締まりがしてあるので、外部からは絶対にはいれないことでした。

　さてその日、三郎は非常な忍耐力をもって、顔を見てさえむしずの走る遠藤と、長いあいだ雑談をかわしました。話のあいだに、しばしばそれとなく殺意をほのめかして、相手を怖わがらせてやりたいという、危険極まる欲望が起こってくるのを、彼はやっとのことで喰い

止めました。

「近いうちに、ちっとも証拠の残らないような方法で、お前を殺してやるのだぞ。お前がそうして、女のように多弁にペチャクチャしゃべるのも、もう長いことではないのだ、今のうちにせいぜいしゃべり溜めておくがいいよ」

三郎は、相手の止めどもなく動く、大ぶりな唇を眺めながら、心の内ではそんなことを繰り返していました。この男が、間もなく、青ぶくれの死骸になってしまうのかと思うと、彼ばもう愉快でたまらないのです。

そうして話し込んでいるうちに、予想した通り、遠藤が便所に立って行きました。それはもう、夜の十時頃でもあったでしょうか、三郎は抜け目なくあたりに気を配って、ガラス窓のそとなども充分調べた上、音のしないように、しかし、手早く押入れをあけて、行李の中から、例の薬瓶を探し出しました。いつか入れた場所をよく見ておいたので、探すのに骨は折れません。でも、さすがに胸がドキドキして、脇の下から冷汗が流れました。実をいうと、彼の今度の計画のうち、いちばん危険なのはこの毒薬を盗み出す仕事でした。どうしたことで遠藤が不意に帰ってくるかもしれませんし、また誰かが隙見をしていないとも限らぬのです。が、それについては、彼はこんなふうに考えていました。もし見つかったら、或いは見つからなくても、遠藤が薬瓶のなくなったことを発見したら——それはよく注意していればじきわかることとです。殊に彼には天井の隙見という武器があるのですから——殺害を思いとどまりさえすればいいのです。ただ毒薬を盗んだというだけでは、大した罪にもなりません

からね。

それはともかく、結局、彼は先ず誰にも見つからずに、うまうまと薬瓶を手に入れることができたのです。そこで遠藤が便所から帰ってくると間もなく、それとなく話を切り上げて、彼は自分の部屋へ帰りました。そして、窓には隙間なくカーテンを引き、入口の戸には締まりをしておいて、机の前に坐ると、胸を躍らせながら、懐中から可愛らしい茶色の瓶を取り出して、さて、つくづくと眺めるのでした。

MORPHINE (o.×g.)

多分遠藤が書いたのでしょう。小さいレッテルにはこんな文字がしるしてあります。彼は以前に毒物学の書物を読んで、モルヒネのことは多少知っていましたけれど、実物にお眼にかかるのは今がはじめてでした。瓶を電灯の前に持って行って、すかしてみますと、小匙に半分もあるかなしの、ごく僅かの白いモヤモヤしたものが、綺麗に透いて見えます。いったいこんなもので、人間が死ぬのかしら、と不思議に思われるほどでした。

三郎は、むろん、それをはかるような精密な秤を持っていないので、分量の点は遠藤の言葉を信用しておくほかはありませんでしたが、あの時の遠藤の態度口調は、酒に酔っていたとはいえ、決してでたらめとは思われません。それにレッテルの数字も、三郎の知っている致死量の、ちょうど二倍なのですから、よもや間違いはありますまい。

そこで、彼は瓶を机の上に置いて、そばに用意の砂糖やアルコールの瓶を並べ、薬剤師のような綿密さで、熱心に調合をはじめるのでした。止宿人たちはもう皆寝てしまったと見え

て、あたりは森閑と静まり返っています。その中で、マッチの棒に浸したアルコールを、用心深く、一滴一滴と、瓶の中へ垂らしていますと、自分自身の呼吸が、悪魔のため息のように、変に物凄く響くのです。それがまあ、どんなに三郎の変態的な嗜好を満足させたことでしょう。ともすれば、彼の眼の前に浮かんでくるのは、くら闇の洞窟の中で、ふつふつと泡立ち煮える毒薬の鍋を見つめて、ニタリニタリと笑っている、あの古い物語の恐ろしい妖婆の姿でした。

しかしながら、一方においては、その頃から、これまで少しも予期しなかった、ある恐怖に似た感情が、彼の心の片隅に湧き出していました。そして、時間のたつにしたがって、少しずつ、少しずつ、それが拡がってくるのです。

MURDER CANNOT BE HID LONG;
A MAN'S SON MAY, BUT AT THE
LENGTH TRUTH WILL OUT.

誰かの引用で覚えていた、あのシェークスピアの無気味な文句が、眼もくらめくような光を放って、彼の脳髄に焼きつくのです。この計画には、絶対に破綻がないと、あくまで信じながらも、刻々に増大してくる不安を、彼はどうすることもできないのでした。

なんの恨みもない一人の人間を、ただ殺人の面白さのために殺してしまうとは、これが正気の沙汰か、お前は悪魔に魅入られたのか、お前は気が違ったのか。いったいお前は、自分自身の心を空恐ろしくは思わないのか。

長いあいだ、夜のふけるのも知らないで、調合してしまった毒薬の瓶を前にして、彼は物思いに耽っていました。いっそ、この計画を思いとどまることにしよう。幾度そう決心しかけたかしれません。でも、結局はどうしても、あの人殺しの魅力を断念する気にはなれないのでした。

ところが、そうして、とつおいつ考えているうちに、ハッと、ある致命的な事実が、彼の頭に閃めきました。

「ウフフフ……」

突然、三郎は、おかしくてたまらないように、しかし寝静まったあたりに気を兼ねながら、笑いだしたのです。

「馬鹿野郎。お前はなんとよくできた道化役者だ！　大真面目でこんな計画を目論むなんて、もうお前の麻痺した頭には、偶然と必然の区別さえつかなくなったのか。あの遠藤の大きくひらいた口が、一度、節穴の真下にあったからといって、その次にも同じようにそこにあるということが、どうしてわかるのだ。いや、むしろ、そんなことはまずあり得ないではないか」

それは実に滑稽きわまる錯誤でした。彼のこの計画は、すでにその出発点に於て、一大迷妄におちいっていたのです。しかし、それにしても、彼はどうしてこんなわかりきったことを今まで気づかずにいたのでしょう。実に不思議といわねばなりません。おそらくこれは、さも利口ぶっている彼の頭脳に、実は非常な欠陥があった証拠ではありますまいか。それは

とにかく、彼はこの発見によって、一方では甚しく失望しましたけれど、同時に他の一方では、不思議な気安さを感じるのでした。

「お蔭でおれはもう、恐ろしい殺人罪を犯さなくてもすむのだ。やれやれ助かった」

そうはいうものの、その翌日からも、「屋根裏の散歩」をするたびに、彼は未練らしく例の節穴をあけて、遠藤の動静をさぐることを怠りませんでした。それはひとつは、毒薬を盗み出したことを遠藤が勘づきはしないかという心配からでもありましたけれど、しかしまた、どうかしてこのあいだのように、彼の口が節穴の真下へこないかと、その偶然を待ちこがれていなかったとはいえません。現に彼は、いつの「散歩」の場合にも、シャツのポケットからあの毒薬を離したことはないのでした。

6

ある夜のこと——それは三郎が「屋根裏の散歩」をはじめてからもう十日ほどもたっていました。十日のあいだも、少しも気づかれることなしに、毎日何回となく、屋根裏を這い廻っていた彼の苦心は、ひと通りではありません。綿密なる注意、そんなありふれた言葉では、とても言い表わせないようなものでした——三郎はまたしても遠藤の部屋の天井裏をうろついていました。そして、何かおみくじでも引くような心持で、吉か凶か、きょうこそは、ひょっとしたら吉ではないかな。どうか吉が出てくれますようにと、神に念じさえしながら、

例の節穴をあけて見るのでした。

するとああ、彼の眼がどうかしていたのではないでしょうか。いつか見たときと寸分違わない恰好で、そこに鼾をかいている遠藤の口が、ちょうど節穴の真下へきていたではありませんか。三郎は、何度も眼をこすって見直し、また猿股の紐を抜いて、目測さえしてみましたが、もう間違いはありません。紐と穴と口とが、正しく一直線上にあるのです。彼は思わず叫び声を立てそうになるのを、やっとこらえました。遂にその時がきた喜びと、一方ではいいしれぬ恐怖と、その二つが交錯した、一種異様の興奮のために、彼は暗やみの中でまっ青になってしまいました。

彼はポケットから、毒薬の瓶を取り出すと、独りでに震え出す手先を、じっとためながら、その栓を抜き、紐で見当をつけておいて――おお、その時のなんとも形容できない心持！――ポトリ、ポトリ、ポトリと十数滴。それがやっとでした。彼はすぐさま眼を閉じてしまったのです。

「気がついたか、きっと気がついた。きっと気がついた。そして、今にも、おお、今にもどんな大声で叫び出すことだろう」

彼はもし両手があいていたら、耳をもふさぎたいほどに思いました。

ところが、彼のそれほどの気遣いにもかかわらず、下の遠藤はウンともスンとも言わないのです。毒薬が口の中へ落ちたところは確かに見たのですから、それに間違いはありません。でも、この静けさはどうしたというのでしょう。三郎は恐る恐る眼をひらいて、節穴をのぞ

いて見ました。すると、遠藤は口をムニャムニャさせ、両手で唇をこするような恰好をして、ちょうどそれが終ったところなのでしょう。またもやグーグー寝入ってしまうのでした。案ずるより産むがやすいとはよくいったものです。寝呆(ねぼ)けた遠藤は、恐ろしい毒薬を飲み込んだことを少しも気づかないのでした。

三郎は、可哀(かわい)そうな被害者の顔を、身動きもしないで、食い入るように見つめていました。それがどれほど長く感じられたか、事実は、二十分とはたっていないのに、彼には二、三時間もそうしていたように思われたことです。するとその時、遠藤はフッと眼をひらきました。そして、半身を起こして、さも不思議そうに部屋の中を見廻しています。目まいでもするのか、首を振ってみたり、眼をこすってみたり、うわごとのような意味のないことをブツブツとつぶやいてみたり、いろいろ気違いめいた仕草をして、それでも、やっとまた枕(まくら)につきましたが、今度は盛んに寝返りを打つのです。

やがて、寝返りの力がだんだん弱くなって行き、もう身動きもしなくなったかと思うと、そのかわりに、雷のような鼾声が響きはじめました。見ると、顔の色がまるで酒にでも酔ったように、まっ赤になって、鼻の頭や額には、玉の汗がふつふつとふき出しています。熟睡している彼の身内で、今、世にも恐ろしい生死の闘争が行なわれているのかもしれません。それを思うと身の毛がよだつようです。

さて、しばらくすると、さしも赤かった顔色が、徐々にさめて、紙のように白くなったかと思うと、みるみる青藍(せいらん)色に変って行きます。そしていつの間にか鼾がやんで、どうやら、

吸う息、吐く息の度数が減ってきました……ふと胸の所が動かなくなったので、いよいよ最期かと思っていますと、暫くして、思い出したように、また唇がピクピクして、鈍い呼吸が帰ってきたりします。そんなことが二、三度繰り返されて、それでおしまいでした……もう彼は動かないのです。グッタリと枕をはずした顔に、われわれの世界とはまるで別な一種のほほえみが浮かんでいます。彼はついに、いわゆるほとけになってしまったのでしょう。

息をつめ、手に汗を握って、その様子を見つめていた三郎は、はじめてホッとため息をつきました。とうとう彼は殺人者になってしまったのです。それにしても、なんという楽々とした死に方だったでしょう。彼の犠牲者は、叫び声ひとつ立てるでなく、苦悶の表情さえ浮かべないで、鼾をかきながら死んで行ったのです。

「なあんだ。人殺しなんて、こんなあっけないものか」

三郎はなんだかガッカリしてしまいました。想像の世界では、もうこの上もない魅力であった殺人ということが、やってみれば、ほかの日常茶飯事となんの変りもないのでした。このあんばいなら、まだ何人だって殺せるぞ。そんなことを考える一方では、しかし、気抜けのした彼の心を、なんともえたいの知れぬ恐ろしさが、ジワジワと襲いはじめていました。

節穴から死体を見つめている自分の姿が、三郎は俄かに気味わるくなってきました。妙に首筋の辺がゾクゾクして、ふと耳をすますと、どこかで、ゆっくりゆっくり、自分の名を呼びつづけているような気さえします。思わず、節穴から眼を離して、暗やみの中を見廻しても、久しく明るい部屋を覗いていたせいでしょう。眼の前には、大きいのや、小さいのや、黄色

い環のようなものが、次々に現われては消えていきます。じっと見ていますと、その環のうしろから、遠藤の異様に大きな唇が、ヒョイと出てきそうにも思われるのです。

でも彼は、最初計画したことだけは、先ず間違いなく実行しました。節穴から薬瓶――その中にはまだ十数滴の毒液が残っていたのです――を抛り落とすこと、その跡の穴をふさぐこと、万一天井裏に何かの痕跡が残っていないか、懐中電灯を点じて調べること、そして、もうこれで手落ちがないとわかると、彼は大急ぎで梁を伝って、自分の部屋へ引っ返しました。

「いよいよこれですんだ」

頭もからだも、妙に痺れて、何かしら物忘れでもしているような不安な気持を、強いて引き立てるようにして、彼は押入れの中で着物を着はじめました。が、その時ふと気がついたのは、例の目測に使用した猿股の紐を、どうしたかということです。ひょっとしたら、あすこへ忘れてきたのではあるまいか。そう思うと、彼はあわただしく腰の辺を探ってみました。どうも無いようです。彼はますますあわてて、からだじゅうを調べました。すると、どうしてこんなことを忘れていたのでしょう。それはちゃんとシャツのポケットに入れてあったではありませんか。やれやれよかったと、ひと安心して、ポケットの中から、その紐と、懐中電灯とを取り出そうとしますと、ハッと驚いたことには、その中にまだほかの品物がはいっていたのです……毒薬の瓶の小さなコルクの栓がはいっていたのです。

彼は、さっき毒薬を垂らすとき、あとで見失っては大へんだと思って、その栓をわざわざ

ポケットへしまっておいたのですが、それを胴忘れしてしまって、瓶だけ下へ落としてきたものとみえます。小さなものですけれど、このままにしておいては、犯罪発覚のもとです。彼はおびえる心を励まして、再び現場へ取って返し、それを節穴から落としてこなければなりませんでした。

その夜、三郎が床についたのは――もうその頃は、用心のために押入れで寝ることはやめていましたが――午前三時頃でした。それでも、興奮しきった彼は、なかなか寝つかれないのです。あんな栓を落とすのを忘れてくるほどでは、ほかにも何か手抜かりがあったかもしれない。そう思うと、彼はもう気が気ではないのです。そこで、乱れた頭を強いて落ちつけるようにして、その晩の行動を追って、一つ一つ思い出して行き、どこかに手抜かりがなかったかと調べてみましたが、少なくとも彼の頭では、何事も発見できませんでした。

彼はそうして、とうとう夜の明けるまで考えつづけていましたが、やがて、早起きの下宿人たちが、洗面所へ通るために廊下を歩く足音が聞こえだすと、つと立ち上がって、いきなり外出の用意をはじめました。彼は遠藤の死骸が発見されるときを恐れていたのです。そのとき、どんな態度をとったらいいのでしょう。ひょっとして、あとになって疑われるような、妙な挙動があってはたいへんです。そこで彼は、そのあいだ外出しているのがいちばん安全だと考えたのですが、しかし、朝飯もたべないで外出するのは、いっそう変ではないでしょうか。「ああ、そうだっけ、何をうっかりしているのだ」そこへ気がつくと、彼はまたもや寝床の中へもぐりこむのでした。

それから朝飯までの二時間ばかりを、三郎はどんなにビクビクして過ごしたことでしょう。が、幸いにも、彼が大急ぎで食事をすませて、下宿屋を逃げ出すまでは、何事も起こらないですみました。そして、下宿屋を出ると、彼はどこという当てもなく、ただ時間をつぶすために、町から町へとさまよい歩くのでした。

7

結局、彼の計画は見事に成功しました。

彼がお昼ごろそとから帰ったときには、もう遠藤の死骸は取り片づけられ、警察からの臨検もすっかりすんでいましたが、聞けば、誰(だれ)一人遠藤の自殺を疑うものはなく、その筋の人たちも、ただ形ばかりの取調べをすると、じきに帰ってしまったということでした。

遠藤がなぜ自殺したかというその原因は、少しもわかりませんでしたが、彼の日ごろの素行から想像して、多分痴情の結果であろうということに、皆の意見が一致しました。現に最近、ある女に失恋していたというような事実まで現われてきたのです。なに、「失恋した、失恋した」というのは、彼のような男にとっては、一種の口癖みたいなもので、大した意味があるわけではないのですが、ほかに原因がないので、結局それにきまったわけでした。

のみならず、原因があってもなくても、彼の自殺したことは、一点の疑いもないのでした。入口も窓も、内部から戸締まりがしてあったのですし、毒薬の容器が枕許(まくらもと)にころがっていて、

それが彼の所持品であったこともわかっているのですから、もうなんと疑ってみようもないのです。天井から毒薬を垂らしたのではないかなどと、そんなばかばかしい疑いを起こすものは、誰ひとりありませんでした。

それでも、なんだかまだ安心しきれないような気がして、三郎はその日一日、ビクビクものでいましたが、やがて一日二日とたつにしたがって、彼はだんだん落ちついてきたばかりか、はては、自分の手際を得意がる余裕さえ生じてきました。

「どんなもんだ。さすがはおれだな。見ろ、誰一人ここに、同じ下宿屋のひと間に、恐ろしい殺人犯人がいることを気づかないではないか」

彼は、この調子では、世間にどれくらい隠れた、処罰されない犯罪があるか、知れたものではないと思うのでした。「天網恢々疎にして漏らさず」なんて、あれはきっと昔からの為政者たちの宣伝にすぎないので、或いは人民どもの迷信にすぎないので、その実は、巧妙にやりさえすれば、どんな犯罪だって、永久に顕われないですんで行くのだ。彼はそんなふうにも考えるのでした。もっとも、さすがに夜などは、遠藤の死に顔が眼先にちらつくような気がして、なんとなく気味がわるく、その夜以来、彼は例の「屋根裏の散歩」も中止している始末でしたが、それはただ、心の中の問題で、やがては忘れてしまうことです。実際、罪が発覚さえせねば、もうそれで充分ではありませんか。

さて、遠藤が死んでからちょうど三日目のことでした。三郎が今、夕飯をすませて小楊枝を使いながら、鼻唄かなんか歌っているところへ、ヒョッコリと、久し振りの明智小五郎が

訪ねてきました。

「やあ」

「ごぶさた」

彼らはさも心安げに、こんなふうの挨拶を取りかわしたことですが、三郎の方では、折が折なので、この素人探偵の来訪を、少々気味わるく思わないではいられませんでした。

「この下宿で毒を呑んで死んだ人があるっていうじゃないか」

明智は、座につくと、さっそくその三郎の避けたがっている事柄を話題にするのでした。おそらく彼は、誰かから自殺者の話を聞いて、幸い同じ下宿に三郎がいるので、持ち前の探偵興味から、訪ねてきたのに違いありません。

「ああ、モルヒネでね。僕はちょうどその騒ぎの時に居合わせなかったから、詳しいことはわからないけれど、どうも痴情の結果らしいのだ」

三郎は、その話題を避けたがっていることを悟られまいと、彼自身もそれに興味を持ってるような顔をして、こう答えました。

「いったいどんな男なんだい」

すると、すぐにまた明智が尋ねるのです。それから暫くのあいだ、彼らは遠藤の人となりについて、死因について、自殺の方法について、問答をつづけました。三郎ははじめのうちこそ、ビクビクもので、明智の問いに答えていましたが、慣れてくるにしたがって、だんだん横着になり、はては、明智をからかってやりたいような気持にさえなるのでした。

「君はどう思うね。ひょっとしたら、これは他殺じゃあるまいか。なに、別に根拠があるわけではないけれど、自殺に違いないと信じていたのが、実は他殺だったりすることが、往々あるものだからね」

どうだ、さすがの名探偵もこればっかりはわかるまいと、心の中で嘲(あざけ)りながら、三郎はこんなことまで言ってみるのでした。それが彼には愉快でたまらないのです。

「それはなんとも言えないね。僕も実は、ある友だちからこの話を聞いたときに、死因が少し曖昧(あいまい)だという気がしたのだよ。どうだろう、その遠藤君の部屋を見るわけにはいくまいか」

「造作ないよ」三郎はむしろ得々として答えました。「隣の部屋に遠藤の同郷の友だちがいてね。それが遠藤のおやじから荷物の保管を頼まれているんだ。君のことを話せば、きっと喜んで見せてくれるよ」

それから、二人は遠藤の部屋へ行ってみることになりました。そのとき、廊下を先にたって歩きながら、三郎はふと妙な感じにうたれたことです。

「犯人自身が、探偵をその殺人の現場へ案内するなんて、じつに不思議なことだな」

ニヤニヤと笑いそうになるのを、彼はやっとのことでこらえました。三郎は、生涯(しょうがい)のうちで、おそらくこの時ほど得意を感じたことはありますまい。「イヨー親玉あ」自分自身にそんな掛け声でもしてやりたいほど、水際立った悪党ぶりでした。

遠藤の友だち――それは北村といって、遠藤が失恋していたという証言をした男です――

は、明智の名前をよく知っていて、快く遠藤の部屋をあけてくれました。遠藤の父親が国許から出てきて、仮葬をすませたのが、やっときょうの午後のことで、部屋の中には、彼の持物が、まだ荷造りもせず、置いてあるのです。

遠藤の変死が発見されたのは、北村が会社へ出勤したあとだったので、発見の刹那の有様はよく知らないようでしたが、人から聞いたことなどを総合して、彼は可なり詳しく説明してくれました。三郎もそれについて、さも局外者らしく、いろいろと噂話などを述べ立てるのでした。

明智は二人の説明を聞きながら、いかにも玄人らしい眼配りで、部屋の中をあちらこちらと見廻していましたが、ふと机の上に置いてあった眼覚まし時計に気づくと、何を思ったのか、長いあいだそれを眺めているのです。多分、その珍奇な装飾が彼の眼を惹いたのかもしれません。

「これは眼覚まし時計ですね」

「そうですよ」北村は多弁に答えるのです。「遠藤の自慢の品です。あれは几帳面な男でしてね、朝の六時に鳴るように、毎晩欠かさずにこれを捲いておくのです。私なんかいつも、隣の部屋のベルの音で眼をさましていたくらいです。遠藤の死んだ日だってそうですよ。あの朝もやっぱりこれが鳴っていましたので、まさかあんなことが起こっていようとは想像もしなかったのですよ」

それを聞くと、明智は長く延ばした頭の毛を、指でモジャモジャ掻き廻しながら、何か非

常に熱心な様子を示しました。

「その朝、眼覚ましが鳴ったことは間違いないでしょうね」

「ええ、それは間違いありません」

「あなたは、そのことを、警察の人におっしゃいませんでしたか」

「いいえ……でも、なぜそんなことをお聞きなさるのです」

「なぜって、妙じゃありませんか。その晩に自殺しようと決心した者が、翌日の朝の眼覚ましを捲いておくというのは」

「なるほど、そういえば変ですね」

北村は迂闊(うかつ)にも、今まで、まるでこの点に気づかないでいたらしいのです。そして、明智のいうことが、何を意味するかも、まだハッキリ呑みこめない様子でした。が、それも決して無理ではありません。入口に締まりがしてあったこと、毒薬の容器が死人のそばに落ちていたこと、その他すべての事情が、遠藤の自殺を疑いないものに見せていたのですから。

しかし、この問答を聞いた三郎は、まるで足許の地盤が不意にくずれはじめたような驚きを感じました。そして、なぜこんな所へ明智を連れてきたのだろうと、自分の愚かさを悔まないではいられませんでした。

明智はそれから、いっそうの綿密さで、部屋の中を調べはじめました。むろん天井も見逃がすはずはありません。彼は天井板を一枚々々叩(たた)き試みて、人間の出入りした形跡がないかを調べ廻ったのです。が、三郎の安堵(あんど)したことには、さすがの明智も、節穴から毒薬を垂ら

して、そこをまた元々通り蓋しておくという新手には、気づかなかったとみえて、天井板が一枚もはがれていないことを確かめると、もうそれ以上の穿鑿はしませんでした。

　さて、結局その日は別段の発見もなくすみました。明智は遠藤の部屋を見てしまうと、また三郎の所へ戻って、しばらく雑談を取りかわした後、何事もなく帰って行ったのです。ただ、その雑談のあいだに、次のような問答のあったことを書き洩らすわけにはいきません。なぜといって、これは一見ごくつまらないように見えて、その実、このお話の結末に最も重大な関係を持っているのですから。

　そのとき、明智は袂から取り出した煙草に火をつけながら、ふと気がついたようにこんなことをいったのです。

「君はさっきから、ちっとも煙草を吸わないようだが、よしたのかい」

　そういわれてみますと、なるほど、三郎はこの二、三日、あれほど大好物の煙草を、まるで忘れてしまったように、一度も吸っていないのでした。

「おかしいね。すっかり忘れていたんだよ。それに、君がそうして吸っていても、ちっとも欲しくならないんだ」

「いつから？」

「考えてみると、もう二、三日吸わないようだ。そうだ、ここにあるのを買ったのが、たしか日曜日だったから、もうまる三日のあいだ、一本も吸わないわけだよ。いったいどうしたんだろう」

「じゃあ、ちょうど遠藤君の死んだ日からだね」

それを聞くと、三郎は思わずハッとしました。しかし、まさか遠藤の死と、彼が煙草を吸わないこととのあいだに因果関係があろうとも思われませんので、その場は、ただ笑ってすませたことですが、あとになって考えてみますと、それは決して笑い話にするような、無意味な事柄ではなかったのです——そして、その三郎の煙草嫌い(ぎら)は、不思議なことに、その後いつまでもつづきました。

8

三郎は、その当座、例の眼覚まし時計のことが、なんとなく気になって、夜もおちおち眠れないのでした。たとえ遠藤が自殺したのでないということがわかっても、彼がその下手人だと疑われるような証拠はひとつもないはずですから、そんなに心配をしなくともよさそうなものですが、でも、それを知っているのがあの明智だと思うと、なかなか安心はできないのです。

ところが、それから半月ばかりは何事もなく過ぎ去ってしまいました。心配していた明智もその後一度もやってこないのです。

「やれやれ、これでいよいよおしまいか」

そこで三郎は、ついに気を許すようになりました。そして、時々恐ろしい夢に悩まされる

ことはあっても、大体において、愉快な日々を送ることができたのです。殊に彼を喜ばせたのは、あの殺人罪を犯して以来というもの、これまで少しも興味を感じなかったいろいろな遊びが、不思議と面白くなってきたことです。ですから、このごろでは毎日のように、彼は家をそとにして、遊び廻っているのでした。

ある日のこと、三郎はその日もそとで夜をふかして、十時頃に自分の部屋へ帰ったのですが、さて寝ることにして、蒲団を出すために、なにげなく、スーッと押入れの襖をひらいたときでした。

「ワッ」

彼はいきなり恐ろしい叫び声を上げて、二、三歩あとへよろめきました。

彼は夢を見ていたのでしょうか。それとも、気でも狂ったのではありますまいか。そこには、押入れの中には、あの死んだ遠藤の首が、髪の毛をふり乱して、薄暗い天井から、さかさまにぶらさがっていたのです。

三郎は、いったん逃げ出そうとして、入口の所まで行きましたが、何かほかのものを見違えたのではないかというような気もするものですから、恐る恐る引き返して、もう一度、ソッと押入れの中を覗いてみますと、どうして、見違いでなかったばかりか、今度はその首が、いきなりニッコリ笑ったではありませんか。

三郎は、再びアッと叫んで、ひと飛びに入口の所まで行って障子をあけると、やにわにそとへ逃げ出そうとしました。

「郷田君。郷田君」

それを見ると、押入れの中では、頻りと三郎の名前を呼びはじめるのです。

「僕だよ。僕だよ。逃げなくってもいいよ」

それが、遠藤の声ではなくて、どうやら聞き覚えのある、ほかの人の声だったものですから、三郎はやっと逃げるのを踏みとどまって、こわごわふり返って見ますと、

「失敬々々」

そう言いながら、以前よく三郎自身がしたように、押入れの天井から降りてきたのは、意外にも、あの明智小五郎でした。

「驚かせてすまなかった」押入れを出た洋服姿の明智が、ニコニコしながらいうのです。「ちょっと君のまねをしてみたのだよ」

それは実に、幽霊なぞよりはもっと現実的な、いっそう恐ろしい事実でした。明智はきっと、何もかも悟ってしまったのに違いありません。

そのときの三郎の心持は、実になんとも形容のできないものでした。あらゆる事柄が、頭の中で風車のように旋転して、いっそ何も思うことがないときと同じように、ただボンヤリとして、明智の顔を見つめているばかりでした。

「さっそくだが、これは君のシャツのボタンだろうね」

明智は、いかにも事務的な調子ではじめました。手には黒っぽいボタンを持って、それを三郎の眼の前につき出しながら、

「ほかの下宿人たちも調べてみたけれど、誰もこんなボタンをなくしているものはないのだ。ああ、そのシャツのだね。ホラ二番目のボタンがとれているじゃないか」

ハッと思って、胸を見ると、なるほど、ボタンがひとつとれています。三郎は、それがいつとれたものやら、少しも気づかないでいたのです。

「シャツのボタンとしては、ひどく変った型だから、これは君のにちがいない。ところで、このボタンをどこで拾ったと思う。天井裏なんだよ。それもあの遠藤君の部屋の上でだよ」

それにしても、三郎はどうして、ボタンなぞを落として、気づかないでいたのでしょう。あの時、懐中電灯で充分検べたはずではありませんか。

「君が殺したのではないのかね、遠藤君を」

明智は無邪気にニコニコしながら――それがこの場合、いっそう気味わるく感じられるのです――三郎のやり場に困った眼の中を、覗き込んで、とどめを刺すように言うのでした。

三郎は、もうだめだと思いました。たとえ明智がどんな巧みな推理を組み立ててこようとも、ただ推理だけであったら、いくらでも抗弁の余地があります。けれども、こんな予期しない証拠物をつきつけられては、もうどうすることもできません。

三郎は今にも泣き出そうとする子供のような表情で、いつまでもいつまでもだまりこくって突っ立っていました。時々ボンヤリと霞んでくる眼の前には、妙なことに、遠い遠い昔の、たとえば小学校時代の出来事などが、幻のように浮き出してきたりするのでした。

それから二時間ばかりののち、彼らはやっぱり元のままの状態で、その長いあいだ、ほとんど姿勢さえもくずさず、三郎の部屋に相対していました。

「ありがとう、よくほんとうのことを打ち明けてくれた」最後に明智が言うのでした。「僕は決して君のことを警察へ訴えなぞしないよ。ただね、僕の判断が当たっているかどうか、それが確かめたかったのだ。君も知っている通り、僕の興味はただ『真実』を知るという点にあるので、それ以上のことは、実はどうでもいいのだ。それにね、この犯罪には、ひとつも証拠というものがないのだよ。シャツのボタン？　ハハハハ、あれは僕のトリックさ。何か証拠品がなくては君が承知しまいと思ってね。この前君を訪ねた時、その二番目のボタンがとれていることに気づいたものだから、ちょっと利用してみたのさ。なに、これは僕がボタン屋へ行って仕入れてきたのだよ。ボタンがいつとれたなんていうことは、誰もあまり気づかないことだし、それに、君は興奮している際だから、多分うまく行くだろうと思ってね。

僕が遠藤君の自殺を疑いだしたのは、君も知っているように、あの眼覚まし時計からだ。あれから、この管轄の警察署長を訪ねて、ここへ臨検した一人の刑事から、詳しく当時の模様を聞くことができたが、その話によると、モルヒネの瓶が、煙草の箱の中にころがっていて、中味が巻煙草にこぼれかかっていたというのだ。聞けば、遠藤は非常に几帳面な男だというし、ちゃんと床にはいって死ぬ用意までしているものが、毒薬の瓶を煙草の箱の中へ置くさえあるに、しかも中味をこぼすなどというのは、なんとなく不自然ではないか。

そこで、僕はますます疑いを深くしたわけだが、ふと気づいたのは、君が遠藤の死んだ日から煙草を吸わなくなっていることだ。この二つの事柄は、偶然の一致にしては、少し妙ではあるまいか。すると、僕は、君が以前犯罪のまねなどをして喜んでいたことを思い出した。君には変態的な犯罪嗜好癖があったのだ。

僕はあれからたびたびこの下宿へきて、君に知られないように遠藤の部屋を調べていたのだよ。そして、犯人の通路は天井のほかにないということがわかったものだから、君のいわゆる『屋根裏の散歩』によって、止宿人の様子をさぐることにした。殊に、君の部屋の上では、たびたび、長いあいだうずくまっていた。そして、君のあのイライラした様子を、すっかり隙見してしまったのだよ。

さぐればさぐるほど、すべての事情が君を指している。だが残念なことには、確証というものがひとつもないのだ。そこでね、僕はあんなお芝居を考え出したのさ。ハハハハ……じゃあ、これで失敬するよ。多分もうお眼にかかれまい。なぜって、ソラ、君はもうちゃんと自首する決心をしているのだからね」

三郎は、この明智のトリックに対しても、もはやなんの感情も起こらないのでした。彼は明智の立ち去るのも知らず顔に、

「死刑にされる時の気持はいったいどんなものだろう」

ただそんなことを、ボンヤリと考えこんでいるのでした。

彼は毒薬の瓶を節穴から落としたとき、それがどこへ落ちたかを見なかったように思って

いましたけれど、その実は、巻煙草に毒薬のこぼれたことまで、ちゃんと見ていたのです。そして、それが意識下に押しこめられて、心理的に彼を煙草嫌いにさせてしまったのでした。

人間椅子（いす）

佳子は、毎朝、夫の登庁を見送ってしまうと、それはいつも十時を過ぎるのだが、やっと自分のからだになって、洋館のほうの、夫と共用の書斎へ、とじこもるのが例になっていた。そこで、彼女は今、K雑誌のこの夏の増大号にのせるための、長い創作にとりかかっているのだった。

美しい閨秀作家としての彼女は、このごろでは、外務省書記官である夫君の影を薄く思わせるほども、有名になっていた。彼女のところへは、毎日のように未知の崇拝者たちからの手紙が、幾通となく送られてきた。

けさとても、彼女は書斎の机の前に坐ると、仕事にとりかかる前に、先ず、それらの未知の人々からの手紙に目を通さねばならなかった。

それはいずれも、極まりきったように、つまらぬ文句のものばかりであったが、彼女は、女のやさしい心遣いから、どのような手紙であろうとも、自分にあてられたものは、ともかくも、ひと通りは読んでみることにしていた。

簡単なものから先にして、二通の封書と、一葉のはがきを見てしまうと、あとにはかさ高い原稿らしい一通が残った。別段通知の手紙は貰っていないけれど、そうして突然原稿を送ってくる例は、これまでにもよくあることだった。それは、多くの場合長々しく退屈きわま

る代物であったけれど、彼女はともかくも、表題だけでも見ておこうと、封を切って、中の紙束を取り出してみた。

それは、思った通り、原稿用紙を綴じたものであった。が、どうしたことか、表題も署名もなく、突然「奥様」という、呼びかけの言葉ではじまっているのだった。はてな、では、やっぱり手紙なのかしら。そう思って、何気なく二行三行と目を走らせて行くうちに、彼女はそこから、なんとなく異常な、妙に気味わるいものを予感した。そして、持ち前の好奇心が、彼女をして、ぐんぐん先を読ませて行くのであった。

奥様、

奥様のほうでは、少しも御存じのない男から、突然、このようなぶしつけなお手紙を差し上げます罪を、幾重にもお許しくださいませ。

こんなことを申しあげますと、奥様は、さぞかしびっくりなさることでございましょうが、私は今、あなたの前に、私の犯してきました世にも不思議な罪悪を告白しようとしているのでございます。

私は数カ月のあいだ、全く人間界から姿を隠して、ほんとうに悪魔のような生活を続けてまいりました。もちろん、広い世界に誰一人、私の所業を知るものはありません。もし、何事もなければ、私はそのまま永久に、人間界に立ち帰ることはなかったかもしれないのでございます。

ところが、近頃になりまして、私の心に或る不思議な変化が起こりました。そして、どうしても、この、私の因果な身の上を、懺悔しないではいられなくなりました。ただ、かように申しましたばかりでは、いろいろ御不審におぼしめす点もございましょうが、どうか、ともかくも、この手紙を終りまでお読みくださいませ。そうすれば、なぜ、私がそんな気持になったのか、またなぜ、この告白を、殊さらに奥様に聞いていただかねばならぬのか、それらのことが、ことごとく明白になるでございましょう。

さて、何から書きはじめたらよいのか、あまりに人間離れのした、奇怪千万な事実なので、こうした、人間世界で使われる手紙というような方法では、妙に面はゆくて、筆の鈍るのを覚えます。でも、迷っていても仕方がございません。ともかくも、ことの起こりから、順を追って、書いて行くことにいたしましょう。

私は生れつき、世にも醜い容貌の持主でございます。これをどうか、はっきりと、お覚えなすっておいてくださいませ。そうでないと、もしあなたが、このぶしつけな願いを容れて、私にお会いくださいました場合、ただでさえ醜い私の顔が、長い月日の不健康な生活のために、二た目と見られぬひどい姿になっているのを、なんの予備知識もなしに、あなたに見られるのは、私としては、たえがたいことでございます。

私という男は、なんと因果な生れつきなのでありましょう。そんな醜い容貌を持ちながら、胸の中では、人知れず、世にも烈しい情熱を燃やしていたのでございます。私は、お化けのような顔をした、その上ごく貧乏な、一職人にすぎない私の現実を忘れて、身のほど知らぬ、

甘美な、贅沢な、種々さまざまの「夢」にあこがれていたのでございます。

私がもし、もっと豊かな家に生れていましたら、金銭の力によって、いろいろの遊戯にふけり、醜貌のやるせなさを、まぎらすことができたでもありましょう。それともまた、私に、もっと芸術的な天分が与えられていましたなら、たとえば美しい詩歌によって、この世の味気なさを忘れることができたでもありましょう。しかし、不幸な私は、いずれの恵みにも浴することができず、哀れな、一家具職人の子として、親譲りの仕事によって、その日その日の暮らしを立てて行くほかはないのでございました。

私の専門は、さまざまの椅子を作ることでありました。私の作った椅子は、どんなむずかしい注文主にも、きっと気に入るというので、商会でも、私には特別に目をかけて、仕事も、上物ばかりを、廻してくれておりました。そんな上物になりますと、凭れや肘掛けの彫りものに、いろいろむずかしい注文があったり、クッションのぐあい、各部の寸法などに、微妙な好みがあったりして、それを造る者には、ちょっと素人の想像できないような苦心がいるのでございますが、でも、苦心をすればしただけ、できあがったときの嬉しさというものはありません。生意気を申すようですけれど、その心持は、芸術家が立派な作品を完成したときの喜びにも、比ぶべきものではないかと存じます。

ひとつの椅子ができあがると、私は先ず、自分でそれに腰かけて、坐りぐあいをためしてみます。そして、味気ない職人生活のうちにも、そのときばかりは、なんともいえぬ得意を感じるのでございます。そこへは、どのような高貴の方が、或いはどのような美しい方がお

かけなさることか。こんな立派な椅子を注文なさるほどのお屋敷だから、そこには、きっとこの椅子にふさわしい、贅沢な部屋があるのだろう。壁には定めし、有名な画家の油絵がかかり、天井からは、偉大な宝石のようなシャンデリヤが下がっているにちがいない。床には高価なジュウタンが敷きつめてあるだろう。そして、この椅子の前のテーブルには、眼の醒めるような西洋草花が、甘美な薫りを放って、咲き乱れていることであろう。そんな妄想に耽っていますと、なんだかこう、自分が、その立派な部屋のあるじにでもなったような気がして、ほんの一瞬間ではありますけれど、なんとも形容のできない、愉しい気持になるのでございます。

私のはかない妄想は、なお、とめどもなく増長してまいります。この私が、貧乏な、醜い、一職人にすぎないこの私が、妄想の世界では、気高い貴公子になって、私の作った立派な椅子に腰かけているのでございます。そして、そのかたわらには、いつも私の夢に出てくる、美しい私の恋人が、におやかにほほえみながら、私の話に聞き入っております。そればかりではありません。私は妄想の中で、その人と手をとり合って、甘い恋の睦言を、ささやき交わしさえするのでございます。

ところが、いつの場合にも、私のこのフーワリとした紫の夢は、たちまちにして、近所のおかみさんのかしましい話し声や、ヒステリーのように泣き叫ぶ、そのあたりの病児の声に妨げられて、私の前には、またしても、醜い現実が、あの灰色のむくろをさらけ出すのでございます。現実に立ち帰った私は、そこに、夢の貴公子とは似てもつかない、哀れにも醜い

自分自身の姿を見出します。そして、いまの先、私にほほえみかけてくれたあの美しい人は……そんなものが、全体どこにいるのでしょう。その辺に、埃まみれになって遊んでいる、汚ならしい子守女でさえ、私なぞには、見向いてもくれはしないのでございます。ただひとつ、私の作った椅子だけが、今の夢の名残りのように、そこにポツネンと残っております。でも、その椅子は、やがて、いずことも知れぬ、私たちのとは全く別の世界へ、運び去られてしまうのではありませんか。

私は、そうして、ひとつひとつ椅子を仕上げるたびごとに、言い知れぬ味気なさに襲われるのでございます。その、なんとも形容のできない、いやあな、いやあな心持は、月日がたつに従って、だんだん、私には堪えきれないものになってまいりました。

「こんな、うじ虫のような生活をつづけて行くくらいなら、いっそのこと、死んでしまったほうがましだ」

私は、まじめに、そんなことを思います。仕事場で、コツコツと鑿を使いながら、釘を打ちながら、或いは、刺戟の強い塗料をこね廻しながら、その同じことを、執拗に考えつづけるのでございます。

「だが、待てよ、死んでしまうくらいなら、それほどの決心ができるなら、もっとほかに、方法がないものであろうか。たとえば……」

そうして、私の考えは、だんだん恐ろしいほうへ、向いて行くのでありました。

ちょうどそのころ、私は、かつて手がけたことのない、大きな革張りの肘掛椅子の製作を

頼まれておりました。この椅子は、同じY市で外人の経営している或るホテルへ納める品で、一体なら、その本国から取り寄せるはずのを、私の雇われていた商館が運動して、日本にも舶来品に劣らぬ椅子職人がいるからというので、やっと注文をとったものでした。それだけに、私としても、寝食を忘れてその製作に従事しました。ほんとうに魂をこめて、夢中になってやったものでございます。

さて、できあがった椅子を見ますと、私はかつて覚えない満足を感じました。それは、われながら、見とれるほどの見事なできばえだったのです。私は例によって、四脚ひと組になっているその椅子のひとつを、日当りのよい板の間へ持ち出して、ゆったりと腰をおろしました。なんという坐り心地のよさでしょう。フックラと、硬すぎず軟かすぎぬクッションのねばりぐあい、わざと染色を嫌って、灰色の生地のまま張りつけた、なめし革の肌ざわり、適度の傾斜を保って、そっと背中を支えてくれる豊満な凭れ、デリケートな曲線を描いて、オンモリとふくれ上がった両側の肘掛け、それらのすべてが、不思議な調和を保って、渾然として「安楽」という言葉を、そのまま形に現わしているように見えます。

私は、そこへ深々と身を沈め、両手で、丸々とした肘掛けを愛撫しながら、うっとりとしていました。すると、私のくせとして、止めどもない妄想が、五色の虹のように、まばゆいばかりの色彩をもって、次から次へと湧き上がってくるのです。あれを幻というのでしょうか。心に思うままが、あんまりはっきりと、目の前に浮かんできますので、私はもしや気でも違うのではないかと、空恐ろしくなったほどでございます。

そうしていますうちに、私の頭に、ふとすばらしい考えが浮かんでまいりました。悪魔の囁きというのは、多分ああしたことを指すのではありますまいか。それは、夢のように荒唐無稽で、無気味な事柄でした。でも、その無気味さが、言いしれぬ魅力となって、私をそそのかすのでございます。

最初は、ただただ、私の丹精こめた美しい椅子を、手放したくない、できることなら、その椅子と一緒に、どこまでもついて行きたい、そんな単純な願いでした。それが、うつらうつらと妄想の翼をひろげておりますうちに、いつの間にやら、その日頃、私の頭に醱酵しておりました、ある恐ろしい考えと結びついてしまったのでございます。そして、私はまあなんという気ちがいでございましょう、その奇怪きわまる妄想を、実際にやってみようと思い立ったのでありました。

私は大急ぎで、四つの内でいちばんよくできたと思う肘掛椅子を、バラバラに毀してしまいました。そして、改めて、それを、私の妙な計画を実行するのに、都合のよいように造り直しました。

それは、ごく大型のアームチェアーですから、掛ける部分は、床にすれすれまで革を張りつめてありますし、そのほか、凭れも肘掛けも、非常に部厚にできていて、その内部には、人間一人が隠れていても、決してそとからわからないほどの、共通した大きな空洞があるのです。むろん、そこには頑丈な木の枠と、沢山なスプリングが取りつけてありますけれど、私はそれらに適当な細工をほどこして、人間が掛ける部分に膝を入れ、凭れの中へ首と胴と

を入れ、ちょうど椅子の形に坐れば、その中にしのんでいられるほどの余裕を作ったのでございます。

そうした細工はお手のものですから、充分手際よく、便利に仕上げました。たとえば、呼吸をしたり、外部の物音を聞くために、革の一部に、そとから少しもわからぬような隙間をこしらえたり、凭れの内部の、ちょうど頭のわきの所へ、小さな棚をつけて、何かを貯蔵できるようにしたり（ここへ水筒と軍隊用の堅パンとを詰めこみました）ある用途のために大きなゴムの袋を備えつけたり、そのほかさまざまの考案をめぐらして、食料さえあれば、その中に二日三日はいりつづけていても、決して不便を感じないようにしつらえました。いわば、その椅子が、人間一人の部屋になったわけでございます。

私はシャツ一枚になると、底に仕掛けた出入口の蓋をあけて、椅子の中へ、すっぽりと、もぐりこみました。それは実に変てこな気持でございました。まっ暗な、息苦しい、まるで墓場の中へはいったような、不思議な感じがいたします。考えてみれば、墓場にちがいありません。私は、椅子の中へはいると同時に、ちょうど隠れ蓑でも着たように、この人間世界から、消滅してしまうわけなのですから。

間もなく、商会から使いのものが、四脚の肘掛け椅子を受け取るために、大きな荷車を持ってやってまいりました。私の内弟子が（私はその男と、たった二人暮らしだったのです）何も知らないで、使いのものと応対しております。車に積みこむ時、一人の人夫が「こいつはばかに重いぞ」とどなりましたので、椅子の中の私は、思わずハッとしましたが、いった

い肘掛椅子そのものが非常に重いのですから、別段あやしまれることもなく、やがて、ガタガタという荷車の振動が、私のからだに一種異様の感触を伝えてまいりました。

非常に心配しましたけれど、結局何事もなく、その日の午後には、もう私のはいった肘掛椅子は、ホテルの一室に、どっかりと据えられておりました。あとでわかったのですが、それは、私室ではなくて、人を待ち合わせたり、新聞を読んだり、煙草をふかしたり、いろいろの人が頻繁に出入りする、ラウンジとでもいうような部屋でございました。

もうとっくにお気づきでございましょうが、私の、この奇妙な行いの第一の目的は、人のいない時を見すまして、椅子の中から抜け出し、ホテルの中をうろつき廻って、盗みを働くことでありました。椅子の中に人間が隠れていようなどと、そんなばかばかしいことを、誰が想像いたしましょう。私は、影のように、自由自在に、部屋から部屋を荒し廻ることができます。そして、人々が騒ぎはじめる時分には、椅子の中の隠れ家へ逃げ帰って、息をひそめて、彼らの間抜けな捜索を、見物していればよいのです。あなたは、海岸の波打ち際などに、「やどかり」という一種の蟹のいるのを御存じでございましょう。大きな蜘蛛のような恰好をしていて、人がいないと、その辺を、わが物顔に、のさばり歩いていますが、ちょっとでも人の足音がしますと、恐ろしい速さで、貝殻の中へ逃げこみます。そして、気味のわるい毛むくじゃらの前足を、少しばかり覗かせて、敵の動静を窺っております。私はちょうどあの「やどかり」でございました。貝殻のかわりに椅子という隠れ家を持ち、海岸ではなく、ホテルの中を、わが物顔にのさばり歩くのでございます。

さて、この私の突飛な計画は、それが突飛であっただけ、人々の意表外に出て、見事に成功いたしました。ホテルに着いて三日目には、もう、たんまりと、ひと仕事すませていたほどでございます。いざ盗みをするというときの恐ろしくも楽しい心持、うまく成功したときの、なんとも形容しがたい嬉しさ、それから、人々が私のすぐ鼻の先で、あっちへ逃げた、こっちへ逃げたと、大騒ぎをやっているのを、じっと見ているおかしさ。それがまあ、どのような不思議な魅力をもって、私を楽しませたことでございましょう。

でも、私は今、残念ながら、それを詳しくお話ししている暇はありません。私はそこで、そんな盗みなどよりは、十倍も二十倍も、私を喜ばせたところの、奇怪きわまる快楽を発見したのでございます。そして、それについて、告白することが、実は、この手紙のほんとうの目的なのでございます。

お話を、前に戻して、私の椅子が、ホテルのラウンジに置かれた時のことから、はじめなければなりません。

椅子が着くと、ひとしきり、ホテルの主人たちが、その坐りぐあいを見廻って行きましたが、あとは、ひっそりとして、物音ひとついたしません。多分、部屋には誰もいないのでしょう。到着匆々、椅子から出ることなど、とても恐ろしくてできるものではありません。私は、非常に長いあいだ（ただそんなに感じたのかもしれませんが）少しの物音も聞き洩らすまいと、全神経を耳に集めて、じっとあたりの様子をうかがっておりました。

そうして、しばらくしますと、多分廊下のほうからでしょう、コツコツと重くるしい足音

が響いてきました。それが、二三間むこうまで近づくと、部屋に敷かれたジュウタンのために、ほとんど聞きとれぬほどの低い音に変りましたが、間もなく、荒々しい男の鼻息が聞こえ、ハッと思う間に、西洋人らしい大きなからだが、私の膝の上にドサリと落ちて、フカフカと二三度はずみました。私の太腿(ふともも)と、その男のガッシリした偉大な臀部(でんぶ)とは、薄いなめし革一枚を隔てて、暖かみを感じるほども密接しています。幅の広い彼の肩は、ちょうど私の胸の所へ凭れかかり、重い両手は、革を隔てて私の手と重なり合っています。そして、男がシガーをくゆらしているのでしょう。男性的な豊かな薫りが、革の隙間を通して漂ってまいります。

　奥様、仮りにあなたが、私の位置にあるものとして、その場の様子を想像してごらんなさいませ。それは、まあなんという、不思議千万な感覚でございましょう。私はもう、あまりの恐ろしさに、椅子の中の暗やみで、堅く堅く身を縮めて、わきの下からは、冷たい汗をタラタラ流しながら、思考力もなにも失ってしまって、ただもう、ボンヤリしていたことでございます。

　その男を手はじめに、その日一日、私の膝の上には、いろいろな人が入りかわり立ちかわり、腰をおろしました。そして、誰(だれ)も、私がそこにいることを——彼らが柔かいクッションだと信じきっているものが、実は私という人間の、血の通った太腿であるということを——少しも悟らなかったのでございます。

　まっ暗で、身動きもできない革張りの中の天地。それがまあどれほど、怪しくも魅力ある

世界でございましょう。そこでは、人間というものが、日頃目で見ている、あの人間とは、全然別な生きものに感ぜられます。彼らは声と、鼻息と、足音と、衣ずれの音と、そして、幾つかの丸々とした弾力に富む肉塊にすぎないのでございます。私は、彼らのひとりひとりを、その容貌のかわりに、肌ざわりによって識別することができます。或るものは、デブデブと肥え太って、腐った肴のような感触を与えます。それとは正反対に、或るものは、コチコチに痩せひからびて、骸骨のような感じがいたします。そのほか、背骨の曲り方、肩胛骨のひらきぐあい、腕の長さ、太腿の太さ、あるいは尾骶骨の長短など、それらのすべての点を綜合してみますと、どんなに似寄った背恰好の人でも、どこか違ったところがあります。人間というものは、容貌や指紋のほかに、こうしたからだ全体の感触によっても、完全に識別することができるにちがいありません。

　異性についても、同じことが申されます。普通の場合は、主として容貌の美醜によって、それを批判するのでありましょうが、この椅子の中の世界では、そんなものは、まるで問題外なのでございます。そこには、まるはだかの肉体と、声の調子と、匂いとがあるばかりでございます。

　奥様、あまりにあからさまな私の記述に、どうか気をわるくしないでくださいまし。私はそこで、一人の女性の肉体に（それは私の椅子に腰かけた最初の女性でありました）烈しい愛着を覚えたのでございます。

声によって想像すれば、それは、まだうら若い異国の乙女でございました。ちょうどその

時、部屋の中には誰もいなかったのですが、彼女は、何か嬉しいことでもあった様子で、小声で、不思議な歌を歌いながら、踊るような足どりで、そこへはいってまいりました。そして、私のひそんでいる肘掛椅子の前までできたかと思うと、いきなり、豊満な、それでいて、非常にしなやかな肉体を、私の上へ投げかけました。しかも、彼女は何がおかしいのか、突然アハアハ笑い出し、手足をバタバタさせて、網の中の魚のように、ピチピチとはね廻るのでございます。

それから、ほとんど半時間ばかりも、彼女は私の膝の上で、ときどき歌を歌いながら、その歌に調子を合わせでもするように、クネクネと、重いからだを動かしておりました。

これは実に、私に取っては、まるで予期しなかった驚天動地の大事件でございました。女は神聖なもの、いや、むしろ怖いものとして、顔を見ることさえ遠慮していた私でございます。その私が今、見も知らぬ異国の乙女と、同じ部屋に、同じ椅子に、それどころではありません、薄いなめし革ひとえ隔てて、肌のぬくみを感じるほども密着しているのでございます。それにもかかわらず、彼女は何の不安もなく、全身の重みを私の上に委ねて、見る人のない気安さに、勝手気儘な姿態をいたしております。私は椅子の中で、彼女を抱きしめる真似をすることもできます。革のうしろから、その豊かな首筋に接吻することもできます。そのほか、どんなことをしようと、自由自在なのでございます。

この驚くべき発見をしてからというものは、私は、最初の目的であった盗みなどは第二として、ただもう、その不思議な感触の世界に惑溺してしまったのでございます。私は考えま

した。これこそ、この椅子の中の世界こそ、私に与えられた、ほんとうのすみかではないかと。私のような醜い、そして気の弱い男は、明かるい光明の世界では、いつもひけ目を感じながら、恥かしい、みじめな生活を続けて行くほかに、能のない身でございます。それが、ひとたび、住む世界をかえて、こうして椅子の中で、窮屈な辛抱をしていさえすれば、明かるい世界では、口を利(き)くことはもちろん、そばへよることさえ許されなかった、美しい人に接近して、その声を聞き、肌に触れることもできるのでございます。

椅子の中の恋！　それがまあ、どんなに不可思議な、陶酔的な魅力を持つか、実際に椅子の中へはいってみた人でなくては、わかるものではありません。それは、ただ、触覚と、聴覚と、そして僅(わず)かの嗅覚(きゅうかく)のみの恋でございます。暗やみの世界の恋でございます。決してこの世のものではありません。これこそ、悪魔の国の愛欲なのではございますまいか。考えてみれば、この世界の、人目につかぬすみずみでは、どのような異形(いぎょう)な、恐ろしい事柄が行なわれているか、ほんとうに想像のほかでございます。

むろんはじめの予定では、盗みの目的を果たしさえすれば、すぐにもホテルを逃げ出すつもりでいたのですが、この、世にも奇怪(きっかい)な喜びに夢中になった私は、逃げ出すどころか、いつまでも、椅子の中を永住のすみかにして、その生活を続けていたのでございます。

夜々(よるよる)の外出には、注意に注意を加えて、少しも物音を立てず、また人目に触れないようにしていましたので、当然、危険はありませんでしたが、それにしても、数カ月という長い月日を、そうして少しも見つからず、椅子の中に暮らしていたというのは、我ながら実に驚く

べきことでございました。

ほとんど一日じゅう、ひどく窮屈な場所で、腕を曲げ、膝を折っているために、からだじゅうが痺れたようになって、完全に直立することができず、しまいには、料理場や化粧室への往復を、躄のように這って行ったほどでございます。私という男は、なんという気ちがいでありましょう。それほどの苦しみを忍んでも、不思議な感触の世界を見捨てる気にはなれなかったのでございます。

中には、一カ月も二カ月も、そこを住居のようにして、泊まりつづけている人もありましたけれど、元来ホテルのことですから、絶えず客の出入りがあります。従って私の奇妙な恋も、時とともに相手が変って行くのを、どうすることもできませんでした。そして、その数々の不思議な恋人の記憶は、普通の場合のように、その容貌によってではなく、主としてからだの恰好によって、私の心に刻みつけられているのでございます。

或るものは、仔馬のように精悍で、すらりと引き締まった肉体を持ち、或るものは、蛇のように妖艶で、クネクネと自在に動く肉体を持ち、或るものは、ゴム鞠のように肥え太って、脂肪と弾力に富む肉体を持ち、また或るものは、ギリシャの彫刻のように、ガッシリと力強く、円満に発達した肉体を持っておりました。そのほか、どの女の肉体にも、ひとりひとり、それぞれの特徴があり、魅力があったのでございます。

そうして、女から女へと移って行くあいだに、私はまた、それとは別な、不思議な経験をも味わいました。

そのひとつは、ある時、欧州の或る強国の大使が（日本人のボーイの噂話によって知ったのですが）その偉大な体軀を、私の膝の上にのせたことでございます。それは、政治家としてよりも、世界的な詩人として、いっそうよく知られていた人ですが、それだけに、私は、その偉人の肌を知ったことが、わくわくするほども誇らしく思われたのでございます。彼は私の上で、二三人の同国人を相手に、十分ばかり話をすると、そのまま立ち去ってしまいました。むろん、何を言っていたのか、私にはさっぱりわかりませんけれど、ジェスチュアをするたびに、ムクムクと動く、常人よりも暖かいと思われる肉体の、くすぐるような感触が、私に一種名状すべからざる刺戟を与えたのでございます。

その時、私はふとこんなことを想像しました。もし！　この革のうしろから、鋭いナイフで、彼の心臓を目がけて、グサリとひと突きしたなら、どんな結果を惹き起すであろう。むろん、それは彼に再び起つことのできぬ致命傷を与えるにちがいない。彼の本国はもとより、日本の政治界は、そのために、どんな大騒ぎを演じることであろう。新聞は、どんな激情的な記事を掲げることであろう。

それは、日本と彼の本国との外交関係にも大きな影響を与えようし、また芸術の立場から見ても、彼の死は世界の一大損失にちがいない。そんな大事件が、自分の一挙手によって、やすやすと実現できるのだ。それを思うと、私は不思議な得意を感じないではいられませんでした。

もうひとつは、有名な或る国のダンサーが来朝した時、偶然彼女がそのホテルに宿泊して、

たった一度ではありましたが、私の椅子に腰かけたことでございます。その時も、私は、大使の場合と似た感銘を受けましたが、その上、彼女は私に、かつて経験したことのない理想的な肉体美の感触を与えてくれました。私はそのあまりの美しさに、卑しい考えなどは起こす暇もなく、ただもう、芸術品に対するときのような敬虔な気持で、彼女を讃美したことでございます。

そのほか、私はまだいろいろと、珍らしい、不思議な、或いは気味わるい、数々の経験をいたしましたが、それらをここに細叙することは、この手紙の目的でありませんし、それに大分長くもなりましたから、急いで、肝腎の点にお話を進めることにいたしましょう。

さて、私がホテルへまいりましてから、何カ月かの後、私の身の上にひとつの変化が起こったのでございます。と言いますのは、ホテルの経営者が、何かの都合で帰国することになり、あとを居抜きのまま、ある日本人の会社に譲り渡したのであります。すると、日本人の会社は、従来の贅沢な営業方針を改め、もっと一般向きの旅館として、有利な経営を目論むことになりました。そのため不用になった調度などは、或る大きな家具商に委託して、競売させたのでありますが、その競売目録のうちに、私の椅子も加わっていたのでございます。

私はそれを知ると、一時はガッカリいたしました。そして、それを機として、もう一度娑婆へ立ち帰り、新しい生活をはじめようかと思ったほどでございます。その時分には、盗みためた金が相当の額になっていましたから、たとえ世の中へ出ても、以前のように、みじめな暮らしをすることはないのでした。が、また思い返してみますと、外人のホテルを出たと

いうことは、一方においては、大きな失望でありましたけれど、他方においては、ひとつの新しい希望を意味するものでございました。と言いますのは、私は数カ月のあいだも、それほどいろいろの異性を愛したにもかかわらず、相手がすべて異国人であったために、それがどんな立派な、好もしい肉体の持ち主であっても、精神的な妙な物足りなさを感じないわけには行きませんでした。やっぱり、日本人は同じ日本人に対してでなければ、ほんとうの恋を感じることができないのではあるまいか。私はだんだん、そんなふうに考えていたのでございます。そこへ、ちょうど私の椅子が競売に出たのであります。今度は、ひょっとすると、日本人に買いとられるかもしれない。そして、日本の家庭に置かれるかもしれない。それが、私の新しい希望でございました。私は、ともかくも、もう少し椅子の中の生活を続けてみることにいたしました。

道具屋の店先で、二三日のあいだ、非常に苦しい思いをしましたが、でも、競売がはじまると、仕合わせなことには、私の椅子は早速買手がつきました。古くなっても、充分に人目を引くほど、立派な椅子だったからでございましょう。

買手はY市から程遠からぬ、大都会に住んでいた或る官吏でありました。道具屋の店先から、その人の邸まで、何里かの道を、非常に震動のはげしいトラックで運ばれた時には、私は椅子の中で死ぬほどの苦しみを嘗めましたが、でも、そんなことは、買手が、私の望み通り日本人であったという喜びに比べては、物の数でもございません。

買手のお役人は、可なり立派な屋敷の持ち主で、私の椅子は、そこの洋館の広い書斎に置

かれましたが、私にとって非常に満足であったことには、その書斎は、主人よりは、むしろ、その家の若くて美しい夫人が使用されるものだったのでございます。それ以来、約一カ月間、私は絶えず、夫人とともにおりました。夫人の食事と、就寝の時間を除いては、夫人のしなやかなからだは、いつも私の上にありました。それというのが、夫人は、そのあいだ、書斎につめきって、ある著作に没頭していられたからでございます。

私はどんなに彼女を愛したか、それは、ここにくだくだしく申しあげるまでもありますまい。彼女は、私のはじめて接した日本人で、しかも充分美しい肉体の持ち主でありました。私は、そこにはじめて、ほんとうの恋を感じました。それに比べては、ホテルでの、数多い経験などは、決して恋と名づくべきものではございません。その証拠には、これまで一度も、そんなことを感じなかったのに、その夫人に対してだけ、私は、ただ秘密の愛撫を楽しむのみではあきたらず、どうかして、私の存在を知らせようと、いろいろ苦心したのでも明らかでございましょう。

私は、できるならば、夫人のほうでも、椅子の中の私を意識してほしかったのでございます。そして、虫のいい話ですが、私を愛してもらいたく思ったのでございます。でも、それをどうして合図いたしましょう。もし、そこに人間が隠れているということを、あからさまに知らせたなら、彼女はきっと、驚きのあまり、主人や家のものに、そのことを告げるにちがいありません。それではすべて駄目になってしまうばかりか、私は、恐ろしい罪名を着て、法律上の刑罰をさえ受けなければなりません。

そこで、私は、せめて夫人に、私の椅子を、この上にも居心地よく感じさせ、それに愛着を起こさせようと努めました。芸術家である彼女は、きっと常人以上の微妙な感覚を備えているにちがいありません。もし彼女が、私の椅子に生命を感じてくれたなら、ただの物質としてではなく、ひとつの生きものとして愛着を覚えてくれたなら、それだけでも、私は充分満足なのでございます。

私は、彼女が私の上に身を投げた時には、できるだけフーワリと優しく受けるように心掛けました。彼女が私の上で疲れた時分には、わからぬほどにソロソロと膝を動かして、彼女のからだの位置を変えるようにいたしました。そして、彼女が、ウトウトと居眠りをはじめるような場合には、私は、ごくごく幽かに膝をゆすって、揺籃の役目を勤めたことでございます。

その心遣りが報いられたのか、それとも、単に私の気の迷いか、近頃では、夫人は、なんとなく私の椅子を愛しているように思われます。彼女は、ちょうど嬰児が母親の懐に抱かれるときのような、または、乙女が恋人の抱擁に応じるときのような、甘い優しさをもって私の椅子に身を沈めます。そして、私の膝の上で、からだを動かす様子までが、さも懐かしげにみえるのでございます。

かようにして、私の情熱は、日々に烈しく燃えて行くのでした。そして、ついには、アア、奥様、ついには、私は身のほどもわきまえぬ、大それた願いを抱くようになったのでございます。たったひと目、私の恋人の顔を見て、そして、言葉を交わすことができたなら、その

まま死んでもよいとまで、思いつめたのでございます。

奥様、あなたは、むろん、とっくにお悟りでございましょう。その私の恋人と申しますのは、あまりの失礼をお許しくださいませ、実は、あなたなのでございます。あなたの御主人が、あのY市の道具店で、私の椅子をお買い取りになって以来、私はあなたに及ばぬ恋をささげていた、哀れな男でございます。

奥様、一生のお願いでございます。たった一度、私にお逢(あ)いくださるわけにはまいらぬでございましょうか。そして、ひとことでも、この哀れな醜い男に、慰めのお言葉をおかけくださるわけにはまいらぬでございましょうか。私は決してそれ以上を望むものではありません。そんなことを望むにはあまりに醜く、汚れ果てた私でございます。どうぞ、どうぞ、世にも不幸な男の、切なる願いをお聞き届けくださいませ。

私はゆうべ、この手紙を書くために、お屋敷を抜け出しました。面と向かって、奥様にこんなことをお願いするのは、非常に危険でもあり、かつ私にはとてもできないことでございます。

そして、いま、あなたがこの手紙をお読みなさる時分には、私は心配のために青い顔をして、お邸のまわりを、うろつき廻(まわ)っております。

もし、この、世にもぶしつけな願いをお聞き届けくださいますなら、どうか書斎の窓の撫子(なでしこ)の鉢植(はちう)えに、あなたのハンカチをおかけくださいまし。それを合図に、私は、何気なき一人の訪問者として、お邸の玄関を訪れるでございましょう。

そして、この不思議な手紙は、ある熱烈な祈りの言葉をもって結ばれていた。

佳子（よしこ）は、手紙の半ばほどまで読んだとき、すでに恐ろしい予感のために、まっ青になってしまった。

そして無意識に立ち上がると、気味のわるい肘掛椅子（ひじかけいす）の置かれた書斎から逃げ出して、日本建ての居間のほうへきていた。手紙のあとのほうは、いっそ読まないで破り棄（す）ててしまおうかと思ったけれど、どうやら気掛りなままに、居間の小机の上で、ともかくも、読みつづけた。

彼女の予感はやっぱり当たっていた。

これはまあ、なんという恐ろしい事実であろう。彼女が毎日腰かけていたあの肘掛椅子の中には、見も知らぬ一人の男がはいっていたのであるか。

「おお、気味のわるい」

彼女は、背中から冷水をあびせられたような悪寒（おかん）を覚えた。そして、いつまでたっても、不思議な身震いがやまなかった。

彼女は、あまりのことに、ボンヤリしてしまって、これをどう処置すべきか、まるで見当がつかぬのであった。椅子を調べて見る？　どうしてどうして、そんな気味のわることができるものか。そこには、たとえもう人間がいなくとも、食べ物その他の、彼に附属した汚ないものが、まだ残されているにちがいないのだ。

「奥様お手紙でございます」

ハッとして、振り向くと、それは、一人の女中が、いま届いたらしい封書を持ってきたのだった。

佳子は、無意識にそれを受け取って、開封しようとしたが、ふと、その上書きを見ると、彼女は、思わずその手紙を取りおとしたほども、ひどい驚きに打たれた。そこには、さっきの無気味な手紙と寸分違わぬ筆癖をもって、彼女の宛名が書かれてあったのだ。

彼女は、長いあいだ、それを開封しようか、しまいかと迷っていた。が、とうとう最後にそれを破って、ビクビクしながら中味を読んで行った。手紙はごく短いものであったけれど、そこには、彼女を、もう一度ハッとさせたような、奇妙な文句が記されてあった。

突然御手紙を差し上げますぶしつけを、幾重にもお許しくださいまし。私は日頃、先生のお作を愛読しているものでございます。別封お送りいたしましたのは、私の拙い創作でございます。御一覧の上、御批評がいただけますれば、この上の幸いはございません。或る理由のために、原稿のほうは、この手紙を書きます前に投函いたしましたから、すでにごらんずみかと拝察いたします。如何でございましたでしょうか。もし拙作がいくらかでも、先生に感銘を与え得たとしますれば、こんな嬉しいことはないのでございますが。

原稿には、わざと省いておきましたが、表題は「人間椅子」とつけたい考えでございます。

では、失礼を顧みず、お願いまで。

鏡地獄

「珍らしい話とおっしゃるのですか、それではこんな話はどうでしょう」

ある時、五、六人の者が、怖い話や、珍奇な話を、次々と語り合っていた時、友だちのKは最後にこんなふうにはじめた。ほんとうにあったことか、Kの作り話なのか、その後、尋ねてみたこともないので、私にはわからぬけれど、いろいろ不思議な物語を聞かされたあとだったのと、ちょうどその日の天候が春の終りに近い頃の、いやにドンヨリと曇った日で、空気が、まるで深い水の底のように重おもしく淀んで、話すものも、聞くものも、なんとなく気ちがいめいた気分になっていたからでもあったのか、その話は、異様に私の心をうったのである。話というのは、

私に一人の不幸な友だちがあるのです。名前は仮りに彼と申して置きましょうか。その彼にはいつの頃からか世にも不思議な病気が取りついたのです。ひょっとしたら、先祖に何かそんな病気の人があって、それが遺伝したのかもしれませんね。というのは、まんざら根のない話でもないので、いったい彼のうちには、おじいさんか、曾じいさんかが、切支丹の邪宗に帰依していたことがあって、古めかしい横文字の書物や、マリヤさまの像や、基督さまのはりつけの絵などが、葛籠の底に一杯しまってあるのですが、そんなものと一緒に、伊賀

越道中双六に出てくるような、一世紀も前の望遠鏡だとか、妙なかっこうの磁石だとか、当時ギヤマンとかビイドロとかいったのでしょうが、美しいガラスの器物だとかが、同じ葛籠にしまいこんであって、彼はまだ小さい時分から、よくそれを出してもらっては遊んでいたものです。

考えてみますと、彼はそんな時分から、物の姿の映る物、たとえばガラスとか、レンズとか、鏡とかいうものに、不思議な嗜好を持っていたようです。それが証拠には、彼のおもちゃといえば、幻灯器械だとか、遠目がねだとか、虫目がねだとか、そのほかそれに類した、将門目がね、万華鏡、眼に当てると人物や道具などが、細長くなったり、平たくなったりする、プリズムのおもちゃだとか、そんなものばかりでした。

それから、やっぱり彼の少年時代なのですが、こんなことがあったのも覚えております。ある日彼の勉強部屋をおとずれますと、机の上に古い桐の箱が出ていて、多分その中にはいっていたのでしょう、彼は手に昔物の金属の鏡を持って、それを日光に当てて、暗い壁に影を映しているのでした。

「どうだ、面白いだろう。あれを見たまえ、こんな平らな鏡が、あすこへ映ると、妙な字ができるだろう」

彼にそう言われて、壁を見ますと、驚いたことには、白い丸形の中に、多少形がくずれてはいましたけれど「寿」という文字が、白金のような強い光で現われているのです。

「不思議だね、一体どうしたんだろう」

なんだか神業とでもいうような気がして、子供の私には、珍らしくもあり、怖くもあったのです。思わずそんなふうに聞き返しました。

「わかるまい。種明かしをしようか。種明かしをしてしまえば、なんでもないことなんだよ。ホラ、ここを見たまえ、この鏡の裏を、ね、寿という字が浮彫りになっているだろう。これが表へすき通るのだよ」

なるほど見れば彼の言う通り、青銅のような色をした鏡の裏には、立派な浮彫りがあるのです。でも、それが、どうして表面まですき通って、あのような影を作るのでしょう。鏡の表は、どの方角からすかして見ても、滑らかな平面で、顔がでこぼこに写るわけでもないのに、それの反射だけが不思議な影を作るのです。まるで魔法みたいな気がするのです。

「これはね、魔法でもなんでもないのだよ」

彼は私のいぶかしげな顔を見て、説明をはじめるのでした。

「おとうさんに聞いたんだがね、金属の鏡というやつは、ガラスと違って、ときどきみがきをかけないと、曇りがきて見えなくなるんだ。この鏡なんか、ずいぶん古くから僕の家に伝わっている品で、何度となく磨きをかけている。でね、その磨きをかけるたびに、裏の浮彫りの所と、そうでない薄い所とでは、金の減り方が眼に見えぬほどずつ違ってくるのだよ。厚い部分は手ごたえが多く、薄い部分はこれが少ないわけだからね。その眼にも見えぬ減り方の違いが、恐ろしいもので、反射させると、あんなに現われるのだそうだ。わかったかい」

その説明を聞きますと、一応は理由がわかったものの、今度は、顔を映してもでこぼこに見えない滑らかな表面が、反射させると明らかに凹凸が現われるという、このえたいの知れぬ事実が、たとえば顕微鏡で何かを覗いた時に味わう、微細なるものの無気味さ、あれに似た感じで、私をゾッとさせるのでした。

この鏡のことは、あまり不思議だったので、特別によく覚えているのですが、これはただ一例にすぎないので、彼の少年時代の遊戯というものは、ほとんどそのような事柄ばかりで充たされていたわけです。妙なもので、私までが彼の感化を受けて、今でも、レンズというようなものに、人一倍の好奇心を持っているのですよ。

でも少年時代はまだ、さほどでもなかったのですが、それが中学の上級生に進んで、物理学を教わるようになりますと、御承知の通り物理学にはレンズや鏡の理論がありますね、彼はもうあれに夢中になってしまって、その時分から、病気と言ってもいいほどの、いわばレンズ狂に変わってきたのです。それにつけて思い出すのは、教室で凹面鏡のことを教わる時間でしたが、小さな凹面鏡の見本を、生徒のあいだに廻して、次々に皆の者が、自分の顔を映して見ていたのです。私はその時分ひどいニキビづらで、それがなんだか性欲的な事柄に関係しているような気がして、恥かしくてしようがなかったのですが、なにげなく凹面鏡を覗いて見ますと、思わずアッと声を立てるほど驚いたことには、私の顔のひとつひとつのニキビが、まるで望遠鏡で見た月の表面のように、恐ろしい大きさに拡大されて映っていたのです。

小山とも見えるニキビの先端が、石榴のようにはぜて、そこからドス黒い血のりが、芝居の殺し場の絵看板の感じで物凄くにじみ出しているのです。ニキビというひけ目があったせいでもありましょうが、凹面鏡に映った私の顔がどんなに恐ろしく、無気味なものであったか、それからのちというものは、凹面鏡を見ると、それがまた、博覧会だとか、盛り場の見世物などには、よく並んでいるのですが、私はもう、おぞけを振るって、逃げ出すようになったほどです。

ですが、彼の方では、その時やっぱり凹面鏡を覗いて、これはまた私とあべこべで、恐ろしく思うよりは、非常な魅力を感じたものとみえ、教室全体に響き渡るような声で、「ホウ」と感嘆の叫びを上げたものなんです。それがあまり頓狂に聞こえたものですから、その時は大笑いになりましたが、さてそれからというものは、彼はもう凹面鏡で夢中なんです。大小さまざまの凹面鏡を買いこんで、針金だとかボール紙などを使い、複雑なからくり仕掛けをこしらえては、独りほくそ笑んでいる始末でした。さすが好きな道だけあって、彼は人の思いもつかぬような、変てこな装置を考案する才能を持っていて、もっとも手品の本などをわざわざ外国から取り寄せたりしたのですけれど、今でも不思議に堪えないのは、これも或るとき彼の部屋をおとずれて、驚かされたのですが、魔法の紙幣というからくり仕掛けでありました。

それは、二尺四方ほどの、四角なボール箱で、前の方に建物の入口のような穴があいていて、そこのところに一円札が五、六枚、ちょうど状差しの中のハガキのように、差してある

のです。

「このおさつを取ってごらん」

その箱を私の前に持ち出して、彼は何食わぬ顔で紙幣を取れというのです。そこで、私はいわれるままに手を出して、ヒョイとその紙幣を取ろうとしたのですが、なんとまあ不思議なことには、ありありと眼に見えているその紙幣が、手を持って行ってみますと、煙のように手ごたえがないではありませんか。あんな驚いたことはありませんね。

「オヤ」

とたまげている私の顔を見て、彼はさも面白そうに笑いながら、さて説明してくれたところによりますと、それは英国でしたかの物理学者が考案した一種の手品で、種はやっぱり凹面鏡なのです。詳しい理窟はよく覚えていませんけれど、本ものの紙幣は箱の下へ横に置いて、その上に斜めに凹面鏡を装置し、電灯を箱の内部に引き込み、光線が紙幣に当たるようにすると、凹面鏡の焦点からどれだけの距離にある物体は、どういう角度で、どの辺にその像を結ぶという理論によって、うまく箱の穴へ紙幣が現われるのだそうです。普通の鏡ですと、決して本ものがそこにあるようには見えませんけれど、凹面鏡では不思議にもそんな実像を結ぶというのですね。ほんとうにもう、ありありとそこにあるのですからね。

かようにして、彼のレンズや鏡に対する異常なる嗜好は、だんだん嵩じて行くばかりでしたが、やがて中学を卒業しますと、彼は上の学校にはいろうともしないで、ひとつは親たちも甘過ぎたのですね、息子の言うことならば、たいていは無理を通してくれるものですから、

学校を出ると、もうひとかどおとなになった気で、庭の空き地にちょっとした実験室を新築して、その中で、例の不思議な道楽をはじめたものです。

これまでは、学校というものがあって、いくらか時間を束縛されていたので、それほどでもなかったのが、さて、そうして朝から晩まで実験室にとじこもることになりますと、彼の病勢は俄(にわ)かに恐るべき加速度をもって昂進(こうしん)しはじめました。元来友だちの少なかった彼ですが、卒業以来というものは、彼の世界は、狭い実験室の中に限られてしまって、どこへ遊びに出るというでもなくしたがって来訪者もだんだん減って行き、僅(わず)かに彼の部屋をおとずれるのは、彼の家の人を除くと、私ただ一人になってしまったのでした。

それもごく時たまのことですが、私は彼を訪問するごとに、彼の病気がだんだん募って行って、今ではむしろ狂気に近い状態になっているのを目撃して、ひそかに戦慄(せんりつ)を禁じ得ないのでした。彼のこの病癖にもってきて、更らにいけなかったことは、ある年の流行感冒のために、不幸にも彼の両親が、揃(そろ)ってなくなってしまったものですから、彼は今は誰(だれ)に遠慮の必要もなく、その上莫大(ばくだい)な財産を受けついで、思うがままに、彼の妙な実験を行なうことができるようになったのと、それに今ひとつは、彼も二十歳を越して、女というものに興味をいだきはじめ、そんな変てこな嗜好を持つほどの彼ですから、情欲の方もひどく変態的で、それが持ち前のレンズ狂と結びついて、双方がいっそう勢いを増す形になってきたことでした。そしてお話というのは、その結果、ついに恐ろしい破局を招くことになった或る出来事なのですが、それを申し上げる前に、彼の病勢が、どのようにひどくなっていたかということ

とを、二つ三つ、実例によってお話ししておきたいと思うのです。

彼の家は山の手の或る高台にあって、今いう実験室は、そこの広々とした庭園の片隅の、街々の甍を眼下に見下す位置に建てられたのですが、そこで彼が最初はじめたのは、実験室の屋根を天文台のような形にこしらえて、そこに可なりの天体観測鏡を据えつけ、星の世界に耽溺することでした。その時分には、彼は独学で、一と通り天文学の知識を備えていたわけなのです。が、そのようなありふれた道楽で満足する彼ではありません。その一方では、度の強い望遠鏡を窓際に置いて、それをさまざまの角度にしては、目の下に見える人家の、あけはなった室内を盗み見るという、罪の深い、秘密な楽しみを味わっているのでありました。

それがたとえ板塀の中であったり、他の家の裏側に向かい合っていたりして、当人たちはどこからも見えぬつもりで、まさかそんな遠くの山の上から望遠鏡で覗かれていようとは気づくはずもなく、あらゆる秘密な行ないを、したい三昧にふるまっている、それが彼には、まるで目の前の出来事のように、あからさまに眺められるのです。

「こればかりは、止せないよ」

彼はそう言い言いしては、その窓際の望遠鏡を覗くことを、こよなき楽しみにしていましたが、考えてみれば、ずいぶん面白いいたずらに違いありません。私も時には覗かしてもらうこともありましたけれど、偶然妙なものを、すぐ目の前に発見したりして、いっそ顔の赤らむようなこともないではありませんでした。

そのほか、たとえば、サブマリン・テレスコープといいますか、潜航艇の中から海上を眺める、あの装置をこしらえて、彼の部屋に居ながら、雇人たちの、殊に若い小間使いなどの私室を、少しも相手に悟られることなく覗いてみたり、そうかと思うと、虫目がねや、顕微鏡によって、微生物の生活を観察したり、それについて奇抜なのは、彼が蚤の類を飼育していたことで、それを虫目がねや度の弱い顕微鏡の下で、這わせてみたり、自分の血を吸うところだとか、虫同士をひとつにして同性であれば喧嘩をしたり、異性であれば仲よくしたりする有様を眺めたり、中にも気味のわるいのは、私は一度それを覗かされてからというものは、今までなんとも思っていなかったあの虫が、妙に恐ろしくなったほどなのですが、蚤を半殺しにしておいて、そのもがき苦しむ有様を、非常に大きく拡大して見ることでした。五十倍の顕微鏡でしたが、覗いた感じでは、一匹の蚤が眼界一杯にひろがって、口から、足の爪、からだにはえている小さな一本の毛までがハッキリとわかって、妙な比喩ですが、まるで猪のように恐ろしい大きさに見えるのです。それがドス黒い血の海の中で（僅か一滴の血潮がそんなに見えるのです）背中半分をぺちゃんこにつぶされて、手足で空をつかんで、くちばしをできるだけ伸ばし、断末魔の物凄い形相をしています。何かその口から恐ろしい悲鳴が聞こえているようにすら感じられるのであります。

　そうしたこまごましたことを一々申し上げていては際限がありませんから、たいていは省くことにしますが、実験室建築当初の、かような道楽は月日と共に深まって行って、ある時はまた、こんなこともあったのです。ある日のこと、彼を訪ねて、なにげなく実験室の扉を

ひらきますと、なぜかブラインドをおろして部屋の中が薄暗くなっていましたが、その正面の壁一杯に、そうですね一間四方もあったでしょうか、何かモヤモヤとうごめいているものがあるのです。気のせいかと思って、眼をこすってみるのですが、やっぱりなんだか動いている。私は戸口にたたずんだまま、息を呑んでその怪物を見つめたものです。すると、見ているに従って、霧みたいなものがだんだんハッキリしてきて、針を植えたような黒い草むら、その下にギョロギョロ光っている盥ほどの眼、茶色がかった虹彩から、白目の中の血管の川までも、ちょうどソフトフォーカスの写真のように、ぼんやりしていながら、妙にハッキリと見えるのです。それから棕櫚のような鼻毛の光る、ほら穴みたいな鼻の穴、そのままの大きさで座蒲団を二枚かさねたかと見える、いやにまっ赤な唇、そのあいだからギラギラと白い瓦のような白歯が覗いている。つまり部屋一杯の人の顔、それが生きてうごめいているのです。映画なぞでないことは、その動きの静かなのと、生物そのままの色艶とで明瞭です。無気味さよりも、恐ろしさよりも、私は自分が気でも違ったのではあるまいかと、思わず驚きの叫び声を上げたほどです。すると、

「驚いたかい、僕だよ、僕だよ」

と別の方角から彼の声がして、ハッと私を飛び上がらせたことには、その声の通りに、壁の怪物の唇と舌が動いて、盥のような眼が、ニヤリと笑ったのです。

「ハハハハハ……どうだいこの趣向は」

突然部屋が明かるくなって、一方の暗室から彼の姿が現われました。それと同時に壁の怪

物が消え去ったのは申すまでもありません。皆さんは大かた想像なすったでしょうが、これはつまり実物幻灯……鏡とレンズと強烈な光の作用によって、実物そのままを幻灯に写す、子供のおもちゃにもありますね、あれを彼独得の工夫によって、異常に大きくする装置を作ったのです。そして、そこへ彼自身の顔を映したのです。聞いてみればなんでもないことですが、可なり驚かせるものですよ。まあ、こういったことが彼の趣味なんですね。

似たようなので、いっそう不思議に思われたのは、今度は別段部屋が薄暗いわけでもなく、彼の顔も見えていて、そこへ変てこな、ゴチャゴチャとした鏡を立て並べた器械を置きますと、彼の眼なら眼だけが、これもまた盥ほどの大きさで、ポッカリと、私の目の前の空間に浮き出す仕掛けなのです。突然そいつをやられた時には、悪夢でも見ているようで身がすくんで、殆ど生きた空もありませんでした。ですが、種を割ってみれば、これがやっぱり、先ほどお話しした魔法の紙幣と同じことで、ただたくさん凹面鏡を使って、像を拡大したものにすぎないのでした。でも、理窟の上ではできるものとわかっていても、ずいぶん費用と時間のかかることでもあり、そんなにばかばかしいまねをやってみた人もありませんので、いわば彼の発明といってもよく、つづけざまにそのようなものを見せられると、なにかこう、彼が恐ろしい魔物のようにさえ思われてくるのでありました。

そんなことがあってから、二、三カ月もたった時分でしたが、彼は今度は何を思ったのか、実験室を小さく区ぎって、上下左右を鏡の一枚板で張りつめた、俗にいう鏡の部屋を作りました。ドアも何もすっかり鏡なのです。彼はその中へ一本のロウソクを持って、たった一人

で長いあいだはいっているというのです。一体なんのためにそんなまねをするのか誰にもわかりません。が、その中で彼が見るであろう光景は大体想像することができます。六方を鏡で張りつめた部屋のまん中に立てば、そこには彼のからだのあらゆる部分が、鏡と鏡が反射し合うために、無限の像となって映るものに違いありません。彼の上下左右に、彼と同じ数限りもない人間が、ウジャウジャと殺到する感じに違いありません。考えただけでもゾッとします。私は子供の時分に八幡の藪知らずの見世物で、型ばかりの代物ではありましたが、鏡の部屋を経験したことがあるのです。その不完全極まるものでさえ、私にはどのように恐ろしく感じられたことでしょう。それを知っているものですから、一度彼から鏡の部屋へはいれと勧められた時にも、私は固く拒んで、はいろうとはしませんでした。

そのうちに、鏡の部屋へはいるのは、彼一人だけではないことがわかってきました。その彼のほかの人間というのは、彼のお気に入りの小間使いでもあり、同時に彼の恋人でもあったところの、当時十八歳の美しい娘でした。彼は口癖のように、

「あの子のたったひとつの取柄は、からだじゅうに数限りもなく、非常に深い濃やかな陰影があることだ。色艶も悪くはないし、肌も濃やかだし、肉付きも海獣のように弾力に富んではいるが、そのどれにもまして、あの女の美しさは、陰影の深さにある」

といっていた。その娘と一緒に、彼の鏡の国に遊ぶのです。しめきった実験室の中の、それをまた区ぎった鏡の部屋の中ですから、外部からうかがうべくもありませんが、時としては一時間以上も、彼らはそこにとじこもっているという噂を聞きました。むろん彼が一人き

りの場合もたびたびあるのですが、ある時などは、鏡の部屋へはいったまま、あまりにも長いあいだ物音ひとつしないので、召使いが心配のあまりドアを叩いたといいます。すると、いきなりドアがひらいて、すっぱだかの彼一人が出てきて、ひとことも物をいわないで、そのままプイと母屋の方へ行ってしまったというような、妙な話もあるのでした。

その頃から、もともとあまりよくなかった彼の健康が、日一日とそこなわれて行くように見えました。が、肉体が衰えるのと反比例に、彼の異様な病癖はますます募るばかりでした。彼は莫大な費用を投じて、さまざまの形をした鏡を集めはじめました。平面、凸面、凹面、波型、筒型と、よくもあんなに変わった形のものが集まったものです。広い実験室の中は、毎日かつぎ込まれる変形鏡で埋まってしまうほどでした。ところが、それればかりではありません。驚いたことには、彼は広い庭の中央にガラス工場を建てはじめたのです。それは、彼独特の設計のもので、特殊の製品については、日本では類のないほど立派なものでありました。技師や職工なども、選びに選んで、そのためには、彼は残りの財産を全部投げ出しても惜しくない意気込みでした。

不幸にも、彼には意見を加えてくれるような親戚が一軒もなかったのです。召使いたちの中には、見るに見かねて意見めいたことを言う者もありましたが、そんなことがあれば、すぐさまお払い箱で、残っている者共は、ただもう法外に高い給金目当ての、さもしい連中ばかりでした。この場合、彼に取っては天にも地にも、たった一人の友人である私としては、なんとか彼をなだめて、この暴挙をとめなければならなかったのですが、むろん幾度となく

それは試みたのですが、いっかな狂気の彼の耳には入らず、それに事柄（ことがら）が別段悪事というのではなく、彼自身の財産を、彼が勝手に使うのであってみれば、ほかにどう分別のつけようもないのでした。私はただもう、ハラハラしながら、日に日に消え行く彼の財産と、彼の命とを、眺めているほかはないのでした。

そんなわけで、私はその頃から、かなり足繁（あししげ）く彼の家に出入りするようになりました。せめては彼の行動を、監視なりともしていようという心持だったのです。従って、彼の実験室の中で、目まぐるしく変化する彼の魔術を、見まいとしても見ないわけには行きませんでした。それは実に驚くべき怪奇と幻想の世界でありました。彼の病癖が頂上に達すると共に、彼の不思議な天才もまた、残るところなく発揮されたのでありましょう。走馬灯のように移り変わる、それがことごとくこの世のものではないところの、怪しくも美しい光景、私はその当時の見聞を、どのような言葉で形容すればよいのでしょう。

外部から買入れた鏡と、それで足らぬところや、ほかでは仕入れることのできない形のものは、彼自身の工場で製造した鏡によって補い、彼の夢想は次から次へと実現されて行くのでした。ある時は彼の首ばかりが、胴ばかりが、或いは足ばかりが、実験室の空中を漂っている光景です。それは言うまでもなく、巨大な平面鏡を室一杯に斜めに張りつめて、その一部に穴をあけ、そこから首や手足を出している、あの手品師の常套（じょうとう）手段にすぎないのですけれど、それを行なう本人が手品師ではなくて、病的なきまじめな私の友だちなのですから、異常の感にうたれないではいられません。ある時は部屋全体が、凹面（おうめん）鏡、凸面（とつめん）鏡、波型鏡、

筒型鏡の洪水です。その中央で踊り狂う彼の姿は、或いは巨大に、或いは微小に、或いは細長く、或いは平べったく、或いは曲がりくねり、或いは胴ばかりが、或いは首の下に首がつながり、或いはひとつの顔に眼が四つでき、或いは唇が上下に無限に延び、或いは縮み、その影がまた互に反復し、交錯して、紛然雑然、まるで狂人の幻想です。

　ある時は部屋全体が巨大なる万華鏡です。からくり仕掛けで、カタリカタリと廻る、数十尺の鏡の三角筒の中に、花屋の店をからにして集めてきた、千紫万紅が、阿片の夢のように、花弁一枚の大きさが畳一畳にも映ってそれが何千何万となく、五色の虹となり、極地のオーロラとなって、見る者の世界を覆いつくす。その中で、大入道の彼の裸体が月の表面のような、巨大な毛穴を見せて躍り狂うのです。

　そのほか種々雑多の、それ以上であっても、決してそれ以下ではないところの、恐るべき魔術、それを見た刹那、人間は気絶し、盲目となったであろうほどの、魔界の美、私にはそれをお伝えする力もありませんし、またたとえ今お話ししてみたところで、どうまあ信じていただけましょう。

　そして、そんな狂乱状態がつづいたあとで、ついに悲しむべき破滅がやってきたのです。私の最も親しい友だちであった彼は、とうとう本ものの気ちがいになってしまったのです。これまでとても、彼の所業は決して正気の沙汰とは思われませんでした。しかし、そんな狂態を演じながらも、彼は一日の多くの時間を常人のごとく過ごしました。読書もすれば、痩せさらぼうた肉体を駆使して、ガラス工場の監督指揮にも当たり、私と会えば、昔ながらの

彼の不可思議なる唯美思想を語るのに、なんのさしさわりもないのでした。それが、あのような無慙な終末をとげようとは、どうして予想することができましょう。おそらく、これは彼の身うちに巣食っていた悪魔の所業か、そうでなければ、あまりにも魔界の美に耽溺した彼に対する、神の怒りででもあったのでしょうか。

　ある朝、私は彼の所からの使いのものに、あわただしく叩き起こされたのです。

「大へんです。奥様が、すぐにおいでくださいますようにとおっしゃいました」

「大へん？　どうしたのだ」

「私どもにはわかりませんのです。ともかく、大急ぎでいらしっていただけませんでしょうか」

　使いの者と私とは、双方とも、もう青ざめてしまって、早口にそんな問答をくり返すと、私は取るものも取りあえず、彼の屋敷へと駈けつけました。場所はやっぱり実験室です。飛び込むように中へはいると、そこには、今では奥様と呼ばれている彼の愛人の小間使いをはじめ、数人の召使いたちが、あっけに取られた形で、立ちすくんだまま、ひとつの妙な物体を見つめているのでした。

　その物体というのは、玉乗りの玉をもう一とまわり大きくしたようなもので、外部には一面に布が張りつめられ、それが広々と取り片づけられた実験室の中を、生あるもののように、右に左にころがり廻っているのです。そして、もっと気味わるいのは、多分その内部からでしょう、動物のとも人間のともつかぬ笑い声のような唸りが、シューシューと響いているの

でした。

「一体どうしたというのです」

私はかの小間使いをとらえて、先ずこう尋ねるほかはありませんでした。

「さっぱりわかりませんの。なんだか中にいるのは旦那様ではないかと思うのですけれど、こんな大きな玉がいつの間にできたのか、思いもかけぬことですし、それに手をつけようにも、気味がわるくて……さっきから何度も呼んでみたのですけれど、中から妙な笑い声しか戻ってこないのですもの」

その答えを聞くと、私はいきなり玉に近づいて、声の洩れてくる箇所を調べました。そして、ころがる玉の表面に、二つ三つの小さな空気抜きとも見える穴を見つけるのは、わけのないことでした。で、その穴のひとつに眼を当てて怖わごわ玉の内部を覗いて見たのですが、中には何か妙に眼をさすような光が、ギラギラしているばかりで、人のうごめくけはいと、無気味な、狂気めいた笑い声が聞こえてくるほかには、少しも、様子がわかりません。そこから二、三度彼の名を呼んでもみましたけれど、相手は人間なのか、それとも人間でないほかの者なのか、いっこうに手ごたえがないのです。

ところが、そうしてしばらくのあいだ、ころがる玉を眺めているうちに、ふとその表面の一カ所に、妙な四角の切りくわせができているのを発見しました。それがどうやら、玉の中へはいる扉らしく、押せばガタガタ音はするのですけれど、取手も何もないために、ひらくことができません。なおよく見れば、取手の跡らしく、金物の穴が残っています。これは、

ひょっとしたら、人間が中へはいったあとで、どうかして取手が抜け落ちて、そとからも、中からも、扉がひらかぬようになったのではあるまいか。とすると、この男はひと晩じゅう玉の中にとじこめられていたことになるのでした。では、その辺に取手が落ちていまいかと、あたりを見廻しますと、もう私の予想通りに違いなかったことには、部屋の一方の隅に丸い金具が落ちていて、それを今の金物の穴にあててみれば、寸法はきっちりと合うのです。しかし困ったことには、柄が折れてしまっていて、今さら穴に差し込んでみたところで、扉がひらくはずもないのでした。

でも、それにしてもおかしいのは、中にとじこめられた人が、助けを呼びもしないで、ただゲラゲラ笑っていることでした。

「もしや」

私はある事に気づいて、思わず青くなりました。もう何を考える余裕もありません。ただこの玉をぶちこわす一方です。そして、ともかくも中の人間を助け出すほかはないのです。

私はいきなり工場に駈けつけて、大ハンマーを拾うと、元の部屋に引き返し、玉を目がけて勢いこめてたたきつけました。と、驚いたことには、内部は厚いガラスでできていたと見え、ガチャンと、恐ろしい音と共に、おびただしい破片に、割れくずれてしまいました。

そして、その中から這いだしてきたのは、まぎれもない私の友だちの彼だったのです。もしやと思っていたのが、やっぱりそうだったのです。それにしても、人間の相好が、僅か一日のあいだに、あのようにも変わるものでしょうか。きのうまでは、衰えてこそいましたけ

れど、どちらかといえば、神経質に引き締まった顔で、ちょっと見ると怖いほどでしたのが、今はまるで死人の相好のように、顔面のすべての筋がたるんでしまい、引っかき廻したように乱れた髪の毛、血走っていながら、異様に空ろな眼、そして口をだらしなくひらいて、ゲラゲラと笑っている姿は、二た目と見られたものではないのです。それは、あのように彼の寵愛を受けていた、かの小間使いさえもが、恐れをなして、飛びのいたほどでありました。

いうまでもなく、彼は発狂していたのです。しかし、何が彼を発狂させたのでありましょう、玉の中にとじこめられたくらいで、気の狂う男とも見えません。それに第一、あの変てこな玉は、一体全体なんの道具なのか、どうして彼がその中へはいっていたのか。玉のことは、そこにいた誰もが知らぬというのですから、おそらく彼が工場に命じて秘密にこしらえさせたものでありましょうが、彼はまあ、この玉乗りのガラス玉を、一体どうするつもりだったのでしょうか。

部屋の中をうろうろしながら、笑いつづける彼、やっと気を取り直して、涙ながらに、その袖を捉える女、その異様な興奮の中へ、ヒョッコリ出勤してきたのは、ガラス工場の技師でした。私はその技師をとらえて彼の面喰らうのも構わずに、矢つぎ早やの質問をあびせました。そして、ヘドモドしながら彼の答えたところを要約しますと、つまりこういう次第だったのです。

技師は大分以前から、三分ほどの厚みを持った、直径四尺ほどの、中空のガラス玉を作ることを命じられ、秘密のうちに作業を急いで、それがゆうべ遅くやっとできあがったのでし

た。技師たちはもちろんその用途を知るべくもありませんが、玉の外側に水銀を塗って、その内側を一面の鏡にすること、内部には数カ所に強い光の小電灯を装置し、玉の一カ所に人の出入りできるほどの扉を設けること、というような不思議な命令に従って、その通りのものを作ったのです。できあがると、夜中にそれを実験室に運び、小電灯のコードには室内灯の線を連結して、それを主人に引き渡したまま帰宅したのだと申します。それ以上のことは、技師にはまるでわからないのでした。

私は技師を帰し、狂人は召使いたちに看護を頼んでおいて、その辺に散乱した不思議なガラス玉の破片を眺めながら、どうかして、この異様な出来事の謎を解こうと悶えました。長いあいだ、ガラス玉との睨めっこでした。が、やがて、ふと気づいたのは、彼は、彼の智力の及ぶ限りの鏡装置を試みつくし、楽しみつくして、最後に、このガラス玉を考案したのではあるまいか。そして、自からその中にはいって、そこに映るであろう不思議な影像を、眺めようと試みたのではあるまいかということでした。

が、彼が何故発狂しなければならなかったか。いや、それよりも、彼はガラス玉の内部で何を見たか。一体全体、何を見たのか。そこまで考えた私は、その刹那、脊髄の中心を、氷の棒で貫かれた感じで、その、世の常ならぬ恐怖のために、心の臓まで冷たくなるのを覚えました。彼はガラス玉の中にはいって、ギラギラした小電灯の光で、彼自身の影像をひと目見るなり、発狂したのか、それともまた、玉の中を逃げ出そうとして、誤まって扉の取手を折り、出るに出られず、狭い球体の中で死の苦しみをもがきながら、ついに発狂したのか、

そのいずれかではなかったでしょうか。では、何物がそれほどまでに彼を恐怖せしめたのか。

それは、到底人間の想像を許さぬところです。球体の鏡の中心にはいった人が、かつて一人だってこの世にあったでしょうか。その球壁に、どのような影が映るものか、物理学者とて、これを算出することは不可能でありましょう。それは、ひょっとしたら、われわれには、夢想することも許されぬ、恐怖と戦慄（せんりつ）の人外境（にんがいきょう）ではなかったのでしょうか。世にも恐るべき悪魔の世界ではなかったのでしょうか。そこには彼の姿が彼としては映らないで、もっと別のもの、それがどんな形相を示したかは想像のほかですけれども、ともかく、人間を発狂させないではおかぬほどの、あるものが、彼の限界、彼の宇宙を覆いつくして映し出されたのではありますまいか。

ただ、われわれにかろうじてできることは、球体の一部であるところの、凹面鏡の恐怖を、球体にまで延長してみるほかにはありません。あなた方は定めし、凹面鏡の恐怖なれば、御存じでありましょう。あの自分自身を顕微鏡にかけて覗いて見るような、悪夢の世界、球体の鏡はその凹面鏡が果てしもなく連なって、われわれの全身を包むのと同じわけなのです。それだけでも、単なる凹面鏡の恐怖の幾層倍、幾十層倍に当たります。そのように想像したばかりで、われわれはもう身の毛もよだつではありませんか。それは凹面鏡によって囲まれた小宇宙なのです。われわれのこの世界ではありません。もっと別の、おそらく狂人の国に違いないのです。

私の不幸な友だちは、そうして、彼のレンズ狂、鏡気ちがいの最端をきわめようとして、

きわめてはならぬところを極めようとして、神の怒りにふれたのか、悪魔の誘いに敗れたのか、遂に彼自身を亡ぼさねばならなかったのでありましょう。

彼はその後、狂ったままこの世を去ってしまいましたので、事の真相を確かむべきよすがとてもありませんが、でも、少なくとも私だけは、彼は鏡の玉の内部を冒したばっかりに、ついにその身を亡ぼしたのだという想像を、今に至るまでも捨て兼ねているのであります。

芋虫

時子は、母屋にいとまを告げて、もう薄暗くなった、雑草のしげるにまかせ、荒れはてた広い庭を、彼女たち夫婦の住まいである離れ座敷の方へ歩きながら、いましがたも、母屋の主人の予備少将から言われた、いつものきまりきった褒め言葉を、まことに変てこな気持で、彼女のいちばん嫌いな茄子の鴫焼を、ぐにゃりと噛んだあとの味で、思い出していた。

「須永中尉（予備少将は、今でも、あの人間だかなんだかわからないような廃兵を、滑稽にも、昔のいかめしい肩書で呼ぶのである）の忠烈は、いうまでもなくわが陸軍の誇りじゃが、それはもう、世に知れ渡っておることだ。だが、お前さんの貞節、あの廃人を三年の年月、少しだって厭な顔を見せるではなく、自分の欲をすっかり捨ててしまって、親切に世話をしている。女房として当たり前のことだと言ってしまえば、それまでじゃが、できないことだ。わしは、まったく感心していますよ。今の世の美談だと思っていますよ。だが、まだまだ先の長い話じゃ。どうか気を変えないで面倒を見て上げてくださいよ」

鷲尾老少将は、顔を合わせるたびごとに、それをちょっとでも言わないでは気がすまぬというように、きまりきって、彼の昔の部下であった、そして今では彼の厄介者であるところの、須永廃中尉とその妻を褒めちぎるのであった。時子は、それを聞くのが、今言った茄子の鴫焼の味だものだから、なるべく主人の老少将に会わぬよう、留守をうかがっては、それ

でも終日物も言わぬ不具者と差向かいでばかりいることもできぬので、奥さんや娘さんの所へ、話し込みに行き行きするのであった。

もっとも、この褒め言葉も、最初のあいだは、彼女の犠牲的精神、彼女の稀なる貞節にふさわしく、いうにいわれぬ誇らしい快感をもって、時子の心臓をくすぐったのであるが、このごろでは、それを以前のように素直には受け容れかねた。というよりは、この褒め言葉が恐ろしくさえなっていた。それをいわれるたびに、彼女は「お前は貞節の美名に隠れて、世にも恐ろしい罪悪を犯しているのだ」と、真向から人差指を突きつけて、責められてでもいるように、ゾッと恐ろしくなるのであった。

考えてみると、われながらこうも人間の気持が変わるものかと思うほど、ひどい変わりかたであった。はじめのほどは、世間知らずで、内気者で、文字どおり貞節な妻でしかなかった彼女が、今では、外見はともあれ、心のうちには、身の毛もよだつ情欲の鬼が巣を食って、哀れな片輪者（片輪者という言葉では不充分なほどの無残な片輪者であった）の亭主を――かつては忠勇なる国家の干城であった人物を、何か彼女の情欲を満たすだけのために、飼ってあるけだものででもあるように、或いは一種の道具ででもあるように、思いなすほどに変わり果てているのだ。

このみだらがましい鬼めは、全体どこから来たものであろう。あの黄色い肉のかたまりの、不可思議な魅力がさせるわざか（事実彼女の夫の須永中尉は、ひとかたまりの黄色い肉塊でしかなかった。そして、それは畸形なコマのように、彼女の情欲をそそるものでしかなかっ

た）、それとも、三十歳の彼女の肉体に満ちあふれた、えたいの知れぬ力のさせるわざであったか。おそらくその両方であったのかもしれないのだが。

鷲尾老人から何かいわれるたびに、時子はこのごろめっきり脂ぎってきた彼女の肉体なり、他人にもおそらく感じられるであろう彼女の体臭なりを、はなはだうしろめたく思わないではいられなかった。

「私はまあ、どうしてこうも、まるでばかかなんぞのようにデブデブ肥え太るのだろう」

その癖、顔色なんかいやに青ざめているのだけれど。老少将は、彼の例の褒め言葉を並べながら、いつも、ややいぶかしげに彼女のデブデブと脂ぎったからだつきを眺めるのを常としたが、もしかすると、時子が老少将をいとう最大の原因は、この点にあったのかもしれないのである。

片田舎のことで、母屋と離れ座敷のあいだは、ほとんど半丁も隔たっていた。そのあいだは、道もないひどい草原で、ともすればガサガサと音を立てて青大将が這い出してきたり、少し足を踏み違えると、草に覆われた古井戸が危なかったりした。広い屋敷のまわりには、形ばかりの不揃いな生垣がめぐらしてあって、そのそとは田や畑が打ちつづき、遠くの八幡神社の森を背景にして、彼女らの住まいである二階建ての離れ家が、そこに、黒く、ぽつんと立っていた。

空には一つ二つ星がまたたきはじめていた。もう部屋の中は、まっ暗になっていることであろう。彼女がつけてやらねば、彼女の夫にはランプをつける力もないのだから、かの肉塊

は、闇の中で、坐椅子にもたれて、或いは椅子からずっこけて、畳の上にころがりながら、眼ばかりパチパチ瞬いていることであろう。可哀そうに、それを考えると、いまわしさ、みじめさ、悲しさが、しかし、どこかに幾分センシュアルな感情をまじえて、ゾッと彼女の背筋を襲うのであった。

近づくにしたがって、二階の窓の障子が、何かを象徴しているふうで、ポッカリとまっ黒な口をあいているのが見え、そこから、トントントンと、例の畳を叩く鈍い音が聞こえてきた。「ああ、またやっている」と思うと、彼女は瞼が熱くなるほど、可哀そうな気がした。それは不自由な彼女の夫が、仰向きに寝ころがって、普通の人間が手を叩いて人を呼ぶ仕草の代りに、頭でトントントンと畳を叩いて、彼の唯一の伴侶である時子を、せっかちに呼び立てていたのである。

「いま行きますよ。おなかがすいたのでしょう」

時子は、相手に聞こえぬことはわかっていても、いつもの癖で、そんなことを言いながら、あわてて台所口に駈け込み、すぐそこの梯子段を上がって行った。

六畳ひと間の二階に、形ばかりの床の間がついていて、そこの隅に台ランプとマッチが置いてある。彼女はちょうど母親が乳呑み児に言う調子で、絶えず「待ち遠だったでしょうね。すまなかったわね」だとか「今よ、今よ、そんなにいっても、まっ暗でどうすることもできやしないわ。今ランプをつけますからね。もう少しよ。もう少しよ」だとか、いろんな独り言を言いながら（というのは、彼女の夫は少しも耳が聞こえなかったので）、ランプをとも

して、それを部屋の一方の机のそばへ運ぶのであった。

その机の前には、メリンス友禅の蒲団をくりつけた、新案特許なんとか式坐椅子というものが置いてあったが、その上は空っぽで、そこからずっと離れた畳の上に、一種異様の物体がころがっていた。その物は、古びた大島銘仙の着物を着ているにはちがいないのだが、それは、着ているというよりも、包まれているといった方が、或いはそこに大島銘仙の大きな風呂敷包みがほうり出してあるといった方が当たっているような、まことに変てこな感じのものであった。そして、その風呂敷包みの隅から、にゅっと人間の首が突き出ていて、それが、米搗きばったみたいに、或いは奇妙な自動器械のように、トントン、トントンと畳を叩いているのだ。叩くにしたがって、大きな風呂敷包みが、反動で、少しずつ位置を変えているのだ。

「そんなに癇癪起こすもんじゃないわ、なんですのよ？　これ？」

時子は、そう言って、手でご飯をたべるまねをして見せた。

「そうでもないの。じゃあ、これ？」

彼女はもうひとつの或る恰好をして見せた。しかし、口の利けない彼女の夫は、一々首を横に振って、またしても、やけにトントン、トントンと畳に頭をぶっつけている。砲弾の破片のために、顔全体が見る影もなくそこなわれていた。左の耳たぶはまるでとれてしまって、小さな黒い穴が、わずかにその痕跡を残しているにすぎず、同じく左の口辺から頰の上を斜めに眼の下のところまで、縫い合わせたような大きなひっつりができている。右のこめかみ

から頭部にかけて、醜い傷痕が這い上がっている。喉のところがグイと抉ったように窪んで、鼻も口も元の形をとどめてはいない。そのまるでお化けみたいな顔面のうちで、わずかに完全なのは、周囲の醜さに引きかえて、こればかりは無心の子供のそれのように、涼しくつぶらな両眼であったが、それが今、パチパチといらだたしく瞬いているのであった。

「じゃあ、話があるのね。待ってらっしゃいね」

彼女は机の引出しから雑記帳と鉛筆を取り出し、鉛筆を片輪者のゆがんだ口にくわえさせ、そのそばへひらいた雑記帳を持って行った。彼女の夫は口を利くこともできなければ、筆を持つ手足もなかったからである。

「オレガイヤニナッタカ」

廃人は、ちょうど大道の因果者がするように、女房の差し出す雑記帳の上に、口で文字を書いた。長いあいだかかって、非常に判りにくい片仮名を並べた。

「ホホホホホ、またやいているのね。そうじゃない。そうじゃない」

彼女は笑いながら強く首を振って見せた。

だが廃人は、またせっかちに頭を畳にぶっつけはじめたので、時子は彼の意を察して、もう一度雑記帳を相手の口の所へ持って行った。すると、鉛筆がおぼつかなく動いて、

「ドコニイタ」

としるされた。それを見るやいなや、時子は邪慳に廃人の口から鉛筆を引ったくって、帳面の余白へ「鷲尾サンノトコロ」と書いて、相手の眼の先へ、押しつけるようにした。

「わかっているじゃないの。ほかに行くところがあるもんですか」

廃人はさらに雑記帳を要求して、

「三ジカン」

と書いた。

「三時間も独りぼっちで待っていたというの。わるかったわね」彼女はそこですまぬような表情になってお辞儀をして見せ、「もう行かない。もう行かない」と言いながら手を振って見せた。

風呂敷包みのような須永廃中尉は、むろんまだ言い足りぬ様子であったが、口書きの芸当が面倒くさくなったとみえて、ぐったりと頭を動かさなくなった。そのかわりに、大きな両眼に、あらゆる意味をこめて、まじまじと時子の顔を見つめているのだ。

時子は、こういう場合、夫の機嫌をなおす唯一の方法をわきまえていた。言葉が通じないのだから、細かい言いわけをすることはできなかったし、言葉のほかではもっとも雄弁に心中を語っているはずの、微妙な眼の色などは、いくらか頭の鈍くなった夫には通用しなかった。そこで、いつもこうした奇妙な痴話喧嘩の末には、お互にもどかしくなってしまって、もっとも手っ取り早い和解の手段をとることになっていた。

彼女はいきなり夫の上にかがみ込んで、ゆがんだ口の、ぬめぬめと光沢のある大きなひっつりの上に、接吻の雨をそそぐのであった。すると、廃人の眼にやっと安堵の色が現われ、ゆがんだ口辺に、泣いているかと思われる醜い笑いが浮かんだ。時子は、いつもの癖で、そ

れを見ても、彼女の物狂わしい接吻をやめなかった。それは、ひとつには相手の醜さを忘れて、彼女自身を無理から甘い興奮に誘うためでもあったけれど、またひとつには、このまったく起ち居の自由を失った哀れな片輪者を、勝手気ままにいじめつけてやりたいという、不思議な気持も手伝っていた。

だが、廃人の方では、彼女の過分の好意に面くらって、息もつけぬ苦しさに、身をもだえ、醜い顔を不思議にゆがめて、苦悶している。それを見ると、時子は、いつもの通り、ある感情がウズウズと、身内に湧き起ってくるのを感じるのだった。

彼女は、狂気のようになって、廃人にいどみかかって行き、大島銘仙の風呂敷包みを、引きちぎるように剝ぎとってしまった。すると、その中から、なんともえたいの知れぬ肉塊がころがり出してきた。

このような姿になって、どうして命をとり止めることができたかと、当時医学界を騒がせ、新聞が未曾有の奇談として書き立てたとおり、須永廃中尉のからだは、まるで手足のもげた人形みたいに、これ以上毀れようがないほど、無残に、無気味に傷つけられていた。両手両足は、ほとんど根もとから切断され、わずかにふくれ上がった肉塊となって、その痕跡を留めているにすぎないし、その胴体ばかりの化物のような全身にも、顔面をはじめとして大小無数の傷あとが光っているのだ。

まことに無残なことであったが、彼のからだはそんなになっても、不思議と栄養がよく、かたわなりに健康を保っていた（鷲尾老少将は、それを時子の親身の介抱の功に帰して、例

の褒め言葉のうちにも、そのことを加えるのを忘れなかった）。ほかに楽しみとてはなく、食欲の烈しいせいか、腹部が艶々とはち切れそうにふくれ上がって、胴体ばかりの全身のうちでも殊にその部分が目立っていた。

それはまるで、大きな黄色の芋虫であった。或いは時子がいつも心の中で形容していたように、いとも奇怪な、畸形な肉ゴマであった。それは、ある場合には、手足の名残の四つの肉のかたまりを（それらの尖端には、ちょうど手提袋のように、四方から表皮が引き締められて、深い皺を作り、その中心にぽっつりと、無気味な小さい窪みができているのだが）その肉の突起物を、まるで芋虫の足のように、異様に震わせて、臀部を中心にして、頭と肩とで、ほんとうにコマと同じに、畳の上をクルクルと廻るのであったから。

今、時子のためにはだかにむかれた廃人は、それには別段抵抗するのではなく、何事かを予期しているもののように、じっと上眼使いに、彼の頭のところにうずくまっている時子の、餌物を狙うけだもののような、異様に細められた眼と、やや堅くなった、きめのこまかい二重顎を、眺めていた。

時子は、片輪者の、その眼つきの意味を読むことができた。それは今のような場合には、彼女がもう一歩進めば、なくなってしまうものであったが、たとえば彼女が彼のそばで針仕事をしていると、片輪者が所在なさに、じっとひとつ空間を見つめているような時、この眼色はいっそう深みを加えて、あの苦悶を現わすのであった。

視覚と触覚のほかの五官をことごとく失ってしまった廃人は、生来読書欲など持ち合わせ

なかった猪武者であったが、それが衝撃のために頭が鈍くなってからは、いっそう文字と絶縁してしまって、今はただ、動物と同様に物質的な欲望のほかにはなんの慰さむるところもない身の上であった。だが、そのまるで暗黒地獄のようなドロドロの生活のうちにも、ふと、常人であったころ教え込まれた軍隊式な倫理観が、彼の鈍い頭をもかすめ通ることがあって、それと、片輪者であるがゆえにいっそう敏感になった情欲とが、彼の心中でたたかい、彼の眼に不思議な苦悶の影をやどすものに違いない。時子はそんなふうに解釈していた。

時子は、無力な者の眼に浮かぶ、おどおどした苦悶の表情を見ることは、そんなに嫌いではなかった。彼女は一方ではひどい泣き虫の癖に、妙に弱い者いじめの嗜好を持っていたのだ。それに、この哀れな片輪者の苦悶は、彼女の飽くことのない刺戟物でさえあった。今も彼女は相手の心持をいたわるどころではなく、反対に、のしかかるように、異常に敏感になっている不具者の情欲に迫まって行くのであった。

えたいのしれぬ悪夢にうなされて、ひどい叫び声を立てたかと思うと、時子はびっしょり寝汗をかいて眼をさました。

枕元のランプのホヤに妙な形の油煙がたまって、細めた芯がジジジジと鳴いていた。部屋の中が、天井も壁も変に橙色に霞んで見え、隣に寝ている夫の顔が、ひっつりのところが灯影に反射して、やっぱり橙色にテラテラと光っている。今の唸り声が聞こえたはずもないのだけれど、彼の両眼はパッチリとひらいて、じっと天井を見つめていた。机の上の枕時

計を見ると、一時を少し過ぎていた。

おそらくそれが悪夢の原因をなしたのであろうけれど、時子は眼がさめるとすぐ、からだに或る不快をおぼえたが、やや寝ぼけた形で、その不快をはっきり感じる前に、なんだか変だとは思いながら、ふと、別の事を、さいぜんの異様な遊戯の有様を幻のように眼に浮かべていた。そこには、キリキリと廻る、生きたコマのような肉塊があった。そして、肥え太って、脂ぎった三十女のぶざまなからだがあった。それがまるで地獄絵みたいに、もつれ合っているのだ。なんというまわしさ、醜さであろう。だが、そのいまわしさ、醜さが、どんなほかの対象よりも、麻薬のように彼女の情欲をそそり、彼女の神経をしびれさせる力をもっていようとは、三十年の半生を通じて、彼女のかつて想像だもしなかったところである。

「アーア、アーア」

時子はじっと彼女の胸を抱きしめながら、詠嘆ともうめきともつかぬ声を立てて、毀れかかった人形のような、夫の寝姿を眺めるのであった。

この時、彼女ははじめて、眼ざめてからの肉体的な不快の原因を悟った。そして「いつもとは少し早過ぎるようだ」と思いながら、床を出て、梯子段を降りて行った。

再び床にはいって、夫の顔を眺めると、彼は依然として、彼女の方をふり向きもしないで、天井を見入っているのだ。

「また考えているのだわ」

眼のほかには、なんの意志を発表する器官をも持たない一人の人間が、じっとひとつ所を

見据えている様子は、こんな真夜中などには、ふと彼女に無気味な感じを与えた。どうせ鈍くなった頭だとは思いながらも、このような極端な不具者の頭の中には、彼女たちとは違った、もっと別の世界がひらけてきているのかもしれない。彼は、今その別世界を、ああしてさまよっているのかもしれない、などと考えると、ぞっとした。

彼女は眼がさえて眠れなかった。頭の芯に、ドドドドと音を立てて、焔が渦まいているような感じがしていた。そして、無闇と、いろいろな妄想が浮かんでは消えた。その中には、彼女の生活をこのように一変させてしまったところの、三年以前の出来事が織り混ぜられていた。

夫が負傷して内地に送り帰されるという報知を受け取った時には、先ず戦死でなくてよかったと思った。その頃はまだつき合っていた同僚の奥様たちから、あなたはお仕合わせだとうらやまれさえした。間もなく新聞に夫の華々しい戦功が書き立てられた。同時に、彼の負傷の程度が可なり甚だしいものであることを知ったけれど、むろんこれほどのこととは想像もしていなかった。

彼女は衛戍病院へ夫に会いに行った時のことを、おそらく一生涯忘れないであろう。まっ白なシーツの中から、無残に傷ついた夫の顔が、ボンヤリと彼女の方を眺めていた。医員に、むずかしい術語のまじった言葉で、負傷のために耳が聞こえなくなり、発声機能に妙な故障を生じて、口さえきけなくなっていると聞かされた時、すでに彼女は眼をまっ赤にして、しきりに鼻をかんでいた。そのあとに、どんな恐ろしいものが待ち構えているかも知らないで。

いかめしい医員であったが、さすがに気の毒そうな顔をして「驚いてはいけませんよ」と言いながら、そっと白いシーツをまくって見せてくれた。そこには、悪夢の中のお化けみたいに、手のあるべき所に手が、足のあるべき所に足が、まったく見えないで、包帯のために丸くなった胴体ばかりが無気味に横たわっていた。それはまるで生命(いのち)のない石膏(せっこう)細工の胸像をベッドに横たえた感じであった。

彼女はクラクラッと目まいのようなものを感じて、ベッドの脚のところへうずくまってしまった。

ほんとうに悲しくなって、人目もかまわず、声を上げて泣き出したのは、医員や看護婦に別室へ連れてこられてからであった。彼女はそこの薄よごれたテーブルの上に、長いあいだ泣き伏していた。

「ほんとうに奇蹟(きせき)ですよ。両手両足を失った負傷者は須永中尉ばかりではありませんが、みな生命を取りとめることはできなかったのです。実に奇蹟です。これはまったく軍医正殿と北村博士の驚くべき技術の結果なのですよ、おそらくどの国の衛戍病院にも、こんな実例はありますまいよ」

医員は、泣き伏した時子の耳元で、慰さめるように、そんなことを言っていた。「奇蹟」という喜んでいいのか悲しんでいいのかわからない言葉が、幾度も幾度も繰り返された。

新聞紙が須永鬼中尉の赫々(かくかく)たる武勲はもちろん、この外科医術上の奇蹟的事実について書き立てたことは言うまでもなかった。

夢のまに半年ばかり過ぎ去ってしまった。上官や同僚の軍人たちがつき添って、須永の生きたむくろが家に運ばれると、ほとんど同時ぐらいに、彼の四肢の代償として、功五級の金鵄勲章が授けられた。時子が不具者の介抱に涙を流している時、世の中は凱旋祝いで大騒ぎをやっていた。彼女のところへも、親戚や知人や町内の人々から、名誉、名誉という言葉が、雨のように降り込んできた。

間もなく、わずかの年金では暮らしのおぼつかなかった彼女たちは、戦地での上長官であった鷲尾少将の好意にあまえて、その邸内の離れ座敷を無賃で貸してもらって住むことになった。田舎にひっこんだせいもあったけれど、その頃から、彼女たちの生活はガラリと淋しいものになってしまった。凱旋騒ぎの熱がさめて、世間も淋しくなっていた。もう誰も以前のようには彼女たちを見舞わなくなった。月日がたつにつれて、戦捷の興奮もしずまり、それにつれて、戦争の功労者たちへの感謝の情もうすらいで行った。須永中尉のことなど、もう誰も口にするものはなかった。

夫の親戚たちも、不具者を気味わるがってか、物質的な援助を恐れてか、ほとんど、彼女の家に足踏みしなくなった。彼女のがわにも、両親はなく、兄妹たちは皆薄情者であった。哀れな不具者とその貞節な妻は、世間から切り離されたように、田舎の一軒家でポッツリと生存していた。そこの二階の六畳は、二人にとって唯一の世界であった。しかも、その一人は耳も聞こえず、口もきけず、起ち居もまったく不自由な土人形のような人間であったのだ。

廃人は、別世界の人類が突然この世にほうり出されたように、まるで違ってしまった生活

様式に面くらっているらしく、健康を回復してからでも、しばらくのあいだは、ボンヤリしたまま身動きもせず仰臥していた。そして時をかまわず、ウトウトと睡っていた。

時子の思いつきで、鉛筆の口書きによる会話を取りかわすようになった時、先ず第一に、廃人がそこに書いた言葉は「シンブン」「クンショウ」の二つであった。「シンブン」というのは、彼の武勲を大きく書き立てた戦争当時の新聞記事の切抜きのことで、「クンショウ」というのは言うまでもなく例の金鵄勲章のことであった。彼が意識を取り戻した時、鷲尾少将が第一番に彼の眼の先につきつけたものは、その二た品であったが、廃人はそれをよく覚えていたのだ。

廃人はたびたび同じ言葉を書いて、その二た品を要求し、時子がそれを彼の前で持っていてやると、いつまでもいつまでも、眺めつくしていた。彼が新聞記事を繰り返し読む時などは、時子は手のしびれてくるのを我慢しながら、なんだかばかばかしいような気持で、夫のさも満足そうな眼つきを眺めていた。

だが、彼女が「名誉」を軽蔑しはじめたよりはずいぶん遅れてではあったけれど、廃人もまた「名誉」に飽き飽きしてしまったように見えた。彼はもう以前みたいに、かの二た品を要求しなくなった。そして、あとに残ったものは、不具者なるが故に病的に烈しい、肉体上の欲望ばかりであった。彼は回復期の胃腸病患者みたいに、ガツガツと食物を要求し、時を選ばず彼女の肉体を要求した。時子がそれに応じない時には、彼は偉大なる肉ゴマとなって気ちがいのように畳の上を這いまわった。

時子は最初のあいだ、それがなんだか空恐ろしく、いとわしかったが、やがて、月日がたつにしたがって、彼女もまた、徐々に肉欲の餓鬼となりはてて行った。野中の一軒家にとじこめられ、行末になんの望みも失った、ほとんど無智と言ってもよかった二人の男女にとっては、それが生活のすべてであった。動物園の檻の中で一生を暮らす二匹のけだもののように。

そんなふうであったから、時子が彼女の夫を、思うがままに自由自在にもてあそぶことのできる、一個の大きな玩具と見なすに至ったのは、まことに当然であった。また、不具者の恥知らずな行為に感化された彼女が、常人に比べてさえ丈夫々々していた彼女が、今では不具者を困らせるほども、飽くなきものとなり果てたのも、至極当たり前のことであった。

彼女は時々気ちがいになるのではないかと思った。自分のどこに、こんないまわしい感情がひそんでいたのかと、あきれ果てて身ぶるいすることがあった。

物もいえないし、こちらの言葉も聞こえない、自分では自由に動くことさえできない、この奇しく哀れな一個の道具が、決して木や土でできたものではなく、喜怒哀楽を持った生きものであるという点が、限りなき魅力となった。その上、たったひとつの表情器官であるつぶらな両眼が、彼女の飽くなき要求に対して、或る時はさも悲しげに、或る時はさも腹立たしげに物をいう。しかも、いくら悲しくとも、涙を流すほかには、なんのすべもなく、いくら腹立たしくとも、彼女を威嚇する腕力もなく、ついには彼女の圧倒的な誘惑に耐えかねて、彼もまた異常な病的興奮におちいってしまうのだが、このまったく無力な生きものを、相手

の意にさからって責めさいなむことが、彼女にとっては、もうこの上もない愉悦とさえなっていたのである。

時子のふさいだまぶたの中には、それらの三年間の出来事が、激情的な場面だけが、切れぎれに、次から次と二重にも三重にもなって、現われては消えて行くのだった。この切れぎれの記憶が、非常な鮮やかさで、まぶたの内がわに映画のように現われたり消えたりするのは、彼女のからだに異状があるごとに、必ず起こる現象であった。そして、この現象が起こる時には、きっと、彼女の野性がいっそうあらあらしくなり、気の毒な不具者を責めさいなむことがいっそう烈しくなるのを常とした。彼女自身それを意識さえしているのだけれど、身内に湧き上がる兇暴な力は、彼女の意志をもってしては、どうすることもできないのであった。

ふと気がつくと、部屋の中が、ちょうど彼女の幻と同じに、もやに包まれたように暗くなって行く感じがした。幻のそとに、もうひとつ幻があって、そのそとの方の幻が、今消えて行こうとしているような気持であった。それが神経のたかぶった彼女を怖がらせ、ハッと胸の鼓動が烈しくなった。だが、よく考えてみると、なんでもないことだった。彼女は蒲団から乗り出して、枕もとのランプの芯をひねった。さっき細めておいた芯が尽きて、ともし火が消えかかっていたのである。

部屋の中がパッと明かるくなった。だが、それがやっぱり橙色にかすんでいるのが、少し

ばかり変な感じであった。時子はその光線で、思い出したように夫の寝顔を覗いて見た。彼は依然として、少しも形を変えないで、天井の同じ所を見つめている。

「まあ、いつまで考えごとをしているのだろう」

彼女はいくらか、無気味でもあったが、それよりも、見る影もない片輪者のくせに、ひとりで仔細らしく物思いに耽っている様子が、ひどく憎々しく思われた。そして、またしても、むず痒く、例の残虐性が彼女の身内に湧き起こってくるのだった。

彼女は、非常に突然、夫の蒲団の上に飛びかかって行った。そしていきなり、相手の肩を抱いて、烈しくゆすぶりはじめた。

あまりにそれが唐突であったものだから、廃人はからだ全体で、ピクンと驚いた。そして、その次には、強い叱責のまなざしで、彼女を睨みつけるのであった。

「怒ったの？　なんだい、その眼」

時子はそんなことをどなりながら、夫にいどみかかって行った。わざと相手の眼を見ないようにして、いつもの遊戯を求めて行った。

「怒ったってだめよ。あんたは、私の思うままなんだもの」

だが、彼女がどんな手段をつくしても、その時に限って、廃人はいつものように彼の方から妥協してくる様子はなかった。さっきから、じっと天井を見つめて考えていたことがそれであったのか、または単に女房のえて勝手な振舞いが癇にさわったのか、いつまでもいつまでも、大きな眼を飛び出すばかりにいからして、刺すように時子の顔を見据えていた。

「なんだい、こんな眼」

彼女は叫びながら、両手を、相手の眼に当てがった。そして、「なんだい」「なんだい」と気ちがいみたいに叫びつづけた。病的な興奮が、彼女を無感覚にした。両手の指にどれほどの力が加わったかさえ、ほとんど意識していなかった。

ハッと夢からさめたように、気がつくと、彼女の下で、廃人が躍り狂っていた。胴体だけとはいえ、非常な力で、死にもの狂いに躍るものだから、重い彼女がはね飛ばされたほどであった。不思議なことには、廃人の両眼からまっ赤な血が吹き出して、ひっつりの顔全体が、ゆでだこみたいに上気していた。

時子はその時、すべてをハッキリ意識した。彼女は無残にも、彼女の夫のたったひとつ残っていた、外界への窓を、夢中に傷つけてしまったのである。

だが、それは決して夢中の過失とは言いきれなかった。彼女自身それを知っていた。いちばんハッキリしているのは、彼女は夫の物言う両眼を、彼らが安易なけだものになりきるのに、はなはだしく邪魔っけだと感じていたことだ。時たまそこに浮かび上がってくる正義の観念ともいうべきものを、憎々しく感じていたことだ。のみならず、その眼のうちには、憎々しく邪魔っけであるばかりでなく、もっと別なもの、もっと無気味で恐ろしい何物かさえ感じられたのである。

しかし、それは嘘だ。彼女の心の奥の奥には、もっと違った、もっと恐ろしい考えが存在していなかったであろうか。彼女は、彼女の夫をほんとうの生きた屍にしてしまいたかった

のではないか。完全な肉ゴマに化してしまいたかったのではないか。胴体だけの触覚のほかには、五官をまったく失った一個の生きものにしてしまいたかったのではないか。そして、彼女の飽くなき残虐性を、真底から満足させたかったのではないか。不具者の全身のうちで、眼だけがわずかに人間のおもかげをとどめていた。それが残っていては、何かしら完全でないような気がしたのだ。ほんとうの彼女の肉ゴマではないような気がしたのだ。

このような考えが、一秒間に、時子の頭の中を通り過ぎた。「ギャッ」というような叫び声を立てたかと思うと、躍り狂っている肉塊をそのままにして、ころがるように階段を駈けおり、はだしのまま暗やみのそとへ走り出した。彼女は悪夢の中で恐ろしいものに追っ駈けられてでもいる感じで、夢中に走りつづけた。裏門を出て、村道を右手へ、でも、行く先が三丁ほど隔たった医者の家であることは意識していた。

頼みに頼んでやっと医者をひっぱって来た時にも、肉塊はさっきと同じ烈しさで躍り狂っていた。村の医者は、噂には聞いたけれど、まだ実物を見たことがなかったので、片輪者の無気味さに胆をつぶしてしまって、時子が物のはずみでこんな椿事を惹き起こした旨を、くどくど弁解するのも、よくは耳にはいらぬ様子であった。彼は痛み止めの注射と、傷の手当てをしてしまうと、大急ぎで帰って行った。

負傷者がやっと藻掻きやんだ頃、しらじらと、夜があけた。

時子は負傷者の胸をさすってやりながら、ボロボロと涙をこぼし、「すみません」「すみま

せん」と言いつづけていた。肉塊は負傷のために発熱したらしく、顔が赤くはれ上がって、胸は烈しく鼓動していた。

時子は終日病人のそばを離れなかった。食事さえしなかった。そして、病人の頭と胸に当てた濡れタオルを、ひっきりなしに絞り換えたり、気ちがいめいた長たらしい詫び言をつぶやいてみたり、病人の胸に指先で「ユルシテ」と幾度も幾度も書いてみたり、悲しさと罪の意識に、時間のたつのを忘れてしまっていた。

夕方になって、病人はいくらか熱もひき、息づかいも楽になった。時子は、病人の意識がもう常態に復したに違いないと思ったので、あらためて、彼の胸の皮膚の上に、一字々々ハッキリと「ユルシテ」と書いて、反応を見た。だが、肉塊は、なんの返事もしなかった。眼を失ったとはいえ、首を振るとか、笑顔を作るとか、何かの方法で彼女の文字に答えられぬはずはなかったのに、肉塊は身動きもせず、表情も変えないのだ。息づかいの様子では眠っているとも考えられなかった。皮膚に書いた文字を理解する力さえ失ったのか、それとも、憤怒のあまり、沈黙をつづけているのか、まるでわからない。それは今や、一個のフワフワした、暖かい物質でしかなかったのだ。

時子はそのなんとも形容のできぬ静止の肉塊を見つめているうちに、生れてからかつて経験したことのない、真底からの恐ろしさに、ワナワナと震え出さないではいられなかった。

そこに横たわっているものは一個の生きものに違いなかった。彼は肺臓も胃袋も持っているのだ。それだのに、彼は物を見ることができない。音を聞くことができない。一とことも

口がきけない。何かを摑むべき手もなく、立ち上がるべき足もない。彼にとってはこの世界は永遠の静止であり、不断の沈黙であり、果てしなき暗やみである。かつてなにびとがかかる恐怖の世界を想像し得たであろう。そこに住む者の心持は何に比べることができるであろう。彼は定めし「助けてくれえ」と声を限りに呼ばわりたいであろう。どんな薄明かりでもかまわぬ、物の姿を見たいであろう。どんなかすかな音でもかまわぬ、物の響きを聞きたいであろう。何物かにすがり、何物かを、ひしと摑みたいであろう。だが、彼にはそのどれもが、まったく不可能なのである。

時子は、いきなりワッと声を立てて泣き出した。そして、取り返しのつかぬ罪業と、救われぬ悲愁に、子供のようにすすり上げながら、ただ人が見たくて、世の常の姿を備えた人間が見たくて、哀れな夫を置き去りに、母屋の鷲尾家へ駈けつけたのであった。

烈しい嗚咽のために聞き取りにくい、長々しい彼女の懺悔を、だまって聞き終った鷲尾老少将は、あまりのことにしばらくは言葉も出なかったが、

「ともかく、須永中尉をお見舞いしよう」

やがて彼は憮然として言った。

もう夜にはいっていたので、老人のために提灯が用意された。二人は、暗やみの草原を、おのおの物思いに沈みながら、だまり返って離れ座敷へたどった。

「誰もいないよ。どうしたのじゃ」

先になってそこの二階に上がって行った老人が、びっくりして言った。

「いいえ、その床の中でございますの」

時子は、老人を追い越して、さっきまで夫の横たわっていた蒲団のところへ行ってみた。だが、実に変てこなことが起こったのだ。そこはもぬけの殻になっていた。

「まあ……」

と言ったきり、彼女は茫然と立ちつくしていた。

「あの不自由なからだで、まさかこの家を出ることはできまい。家の中を探してみなくては」

やっとしてから、老少将が促すように言った。二人は階上階下を隈なく探しまわった。だが、不具者の影はどこにも見えなかったばかりか、かえってそのかわりに、ある恐ろしいものが発見されたのだ。

「まあ、これ、なんでございましょう？」

時子は、さっきまで不具者の寝ていた枕もとの柱を見つめていた。そこには鉛筆で、よほど考えないでは読めぬような、子供のいたずら書きみたいなものが、おぼつかなげにしるされていたのだ。

「ユルス」

時子はそれを「許す」と読み得た時、ハッとすべての事情がわかってしまったように思った。不具者は、動かぬからだを引きずって、机の上の鉛筆を口で探して、彼にしてはそれがどれほどの苦心であったか、わずか片仮名三字の書置きを残すことができたのである。

「自殺をしたのかもしれませんわ」

彼女はオドオドと老人の顔を眺めて、色を失った唇を震わせながら言った。

鷲尾家に急が報ぜられ、召使いたちが手に手に提灯を持って、母屋と離れ座敷のあいだの雑草の庭に集まった。

そして、手分けをして庭内のあちこちと、闇夜の捜索がはじめられた。

時子は、鷲尾老人のあとについて、彼の振りかざす提灯の淡い光をたよりに、ひどい胸騒ぎを感じながら歩いていた。あの柱には「許す」と書いてあった。あれは彼女が先に不具者の胸に「ユルシテ」と書いた言葉の返事に違いない。彼は「私は死ぬ。けれど、お前の行為に立腹してではないのだよ。安心おし」と言っているのだ。

この寛大さがいっそう彼女の胸を痛くした。彼女は、あの手足のない不具者が、まともに降りることはできないで、全身で梯子段を一段々々ころがり落ちなければならなかったことを思うと、悲しさと怖ろしさに、総毛立つようであった。

しばらく歩いているうちに、彼女はふと或ることに思い当たった。そして、ソッと老人にささやいた。

「この少し先に、古井戸がございましたわね」

「ウン」

老将軍はただ肯いたばかりで、その方へ進んで行った。

提灯の光は、空漠たる闇の中の、方一間ほどを薄ぼんやりと明かるくするにすぎなかった。

「古井戸はこの辺にあったが」

鷲尾老人は独り言を言いながら、提灯を振りかざし、できるだけ遠くの方を見きわめようとした。

その時、時子はふと何かの予感に襲われて、立ち止まった。耳をすますと、どこやらで、蛇が草を分けて走っているような、かすかな音がしていた。

彼女も老人も、ほとんど同時にそれを見た。そして、彼女はもちろん、老将軍さえもが、あまりの恐ろしさに、釘づけにされたように、そこに立ちすくんでしまった。

提灯の火がやっと届くか届かぬかの、薄くらがりに、生い茂る雑草のあいだを、まっ黒な一物が、のろのろとうごめいていた。その物は、無気味な爬虫類の恰好で、かま首をもたげて、じっと前方をうかがい、押しだまって、胴体を波のようにうねらせ、胴体の四隅についた瘤みたいな突起物で、もがくように地面を掻きながら、極度にあせっているのだけれど、気持ばかりでからだがいうことを聞かぬといった感じで、ジリリジリリと前進していた。

やがて、もたげていた鎌首が、突然ガクンと下がって、眼界から消えた。今までよりは、やや烈しい葉擦れの音がしたかと思うと、からだ全体が、さかとんぼを打って、ズルズルと地面の中へ、引き入れられるように、見えなくなってしまった。そして、遥かの地の底から、トボンと、鈍い水音が聞こえてきた。

そこに、草に隠れて、古井戸の口がひらいていたのである。

二人はそれを見届けても、急にはそこへ駆け寄る元気もなく、放心したように、いつまで

も立ちつくしていた。

まことに変なことだけれど、そのあわただしい刹那(せつな)に、時子は、闇夜に一匹の芋虫が、何かの木の枯枝を這(は)っていて、枝の先端のところへくると、不自由なわが身の重みで、ポトリと、下のまっくろな空間へ、底知れず落ちて行く光景を、ふと幻に描いていた。

解説

荒　正人

江戸川乱歩は、明治二十七年（一八九四）、三重県名張町に生まれた。明治四十五年三月、愛知県立第五中学（後の熱田中学）を卒業。父が破産したため、苦学するつもりで上京し、八月、早稲田大学予科に中途より入学し、大正五年八月、政治経済学部を卒業した。大阪の南洋貿易会社に入社したが、一年で退社し、その後大正十四年まで各種の職業を転々とした。古本屋やシナソバ屋をやったこともある。これは、探偵小説作家としても幾らか珍しい経歴である。

乱歩は、小学生から中学の初めにかけて、黒岩涙香を愛読し、探偵小説への興味を掻き立てられた。大学時代には、図書館に通ったり古本屋をあさったりして、ポーやドイルを初めとして、当時の外国探偵小説作家の代表的なものを読みあさった。また、谷崎潤一郎、佐藤春夫、宇野浩二などの作品を愛読した。そのほか、ドストイェフスキーの『罪と罰』や『カラマーゾフの兄弟』などに感動した。その心理描写に心を惹かれたものと思われる。以上の経歴は、今日の若い探偵小説作家にくらべると、大きな相違がある。乱歩は、頼るべき先輩作家もなく、自分で自分を創り上げたのである。

この作品集に収められているのは、「二銭銅貨」「二癈人」「D坂の殺人事件」「心理試験」「赤い部屋」「屋根裏の散歩者」「人間椅子」「鏡地獄」「芋虫」の九篇である。このうち「二銭銅貨」は、大正十二年四月『新青年』に発表されたもので、処女作である。他は「芋虫」（昭和四年一月）を除いて、すべて大正十三年から十五年にかけて発表されたものである。乱歩の初期の短篇のうち、代表的なものを集めている。乱歩はこの時期を経て、後に長篇の通俗探偵小説を書くようになった。

大正八年、乱歩は、東京、本郷の団子坂で「三人書房」という小さな古本屋を営んでいた。探偵小説好きの或る友人が、居候をしていたが、乱歩は二人で、「二十の扉」のような遊戯をしたり、未読の探偵小説を一方が朗読し、データのそろったところで本を伏せて、犯人の当てっこをしたり、お互いに探偵小説の筋を考えて、相手に聞かせたりした。大正十二年、古本屋がうまく行かなくなったので、探偵小説の自費出版を企てたりしたが、これは失敗に終った。なお、大正九年一月に『新青年』が創刊された。初めは青年の海外発展のための雑誌であったが、編集長の森下雨村が探偵小説の愛好者であったため、しだいに探偵小説を載せるようになった。乱歩は、乏しい小遣いのなかからそれを買い、これまで問題にされていなかった探偵小説が盛んになってきたことを喜び、自分も書いてみたいという刺戟を受けた。

大正十一年七月、乱歩は妻子を連れて大阪の父の家へころがり込んだ。失業したためである。この年の九月、「二銭銅貨」と「一枚の切符」を書きあげた。筋は団子坂時代に練っておいた。この時、江戸川乱歩の筆名を用いたが、Edgar Allan Poe をもじったものである。

乱歩はこの二つの作品を、初め馬場孤蝶に送ったが、返辞のないため取り戻し、森下雨村に廻した。雨村は「二銭銅貨」を賞讃し、『新青年』に掲載すべき旨の返事を寄越した。雨村は、乱歩の作品を、医者であり同時に探偵小説の作家でもある小酒井不木に見せたところ、不木も大いに激賞した。かくして、「二銭銅貨」は大正十二年四月、「一枚の切符」は同年七月、いずれも『新青年』に発表された。

「二銭銅貨」は、暗号を主にした探偵小説である。乱歩は、大学時代から暗号に興味を持ち、西洋の暗号史を調べたこともあった。ポーの「黄金虫」や、ドイルの「ダンシング・メン」などに示唆を受けたらしいが、「南無阿弥陀仏」という特異な暗号コードを創りあげた功績は特筆に価いする。日本人の生活から素材を取り出した点、当時の乱歩の新しい意気込みをかんじとることができる。松本清張はこの小説の書出しを賞讃し、志賀直哉の短篇の冒頭にも匹敵すると言っている。「あの泥棒が羨ましい」という言葉には、或る時期の乱歩の実感が滲み出ているように思う。なお、結末のどんでん返しは、乱歩が得意とするもので、その後繰り返し使っている。処女作には、作者の本質がおのずと現れるものらしい。

「二癈人」は、夢遊病者を扱ったもので、二人の老人の会話で筋が運ばれているが、探偵小説の書き方としては従来の様式を破ったものである。人生の恐怖を表現した点、一箇の純文学作品として鑑賞に耐える。

「D坂の殺人事件」は、日本の開放的な家屋では、密室殺人事件などは書けない、という偏見を作品によって打破しようとしたものである。戦後は、家屋の構造なども西洋ふうに近づ

いたため、密室の設定にも余り不自由しなくなった。だが、乱歩がこの作品を書いた頃は、前述の偏見が支配していたし、実際にも密室を求めることが大変困難であった。作者はその困難に挑戦し、克服したのである。その点で、歴史的な意味を持つ。なお、この作品に登場する明智小五郎は、いわゆる天才型探偵に属する。この探偵のモデルは、講釈師の伯竜であった。乱歩は伯竜の講釈をしばしば聞いていた。

「心理試験」は「D坂の殺人事件」の続篇である。形式は倒叙探偵小説で、当時は西洋にも余り作例がなかった。——乱歩は、「D坂の殺人事件」を書く少し前に、ミュンスターバーグ（一八六三—一九一六）の『心理学と犯罪』を手に入れて読んでいた。その本の「錯覚」とか「証人の記憶」などのことが、終りに少し出てくる。明智小五郎は、犯人を自白させるのに連想診断を使ったと付記されている。その具体的内容にはふれていない。それを積極的に利用したのが「心理試験」である。

この作品には二つのトリックが使ってある。第一は、練習による不感症である。第二は、金屏風の一件で、これは『罪と罰』のペンキ塗りの心理的錯覚から思いついたものである。作者はこのトリックにずいぶん骨を折ったらしい。でき上った時には大いに自信があり、小酒井不木に送り、将来探偵小説作家としてやってゆくことができるかどうかを判定してもらったという。不木はこの作品も大いに激賞した。さいわい世評もよかった。乱歩は、職業作家として立つことを決意した。

「赤い部屋」は、軽いタッチのものだが、一種の猟奇クラブを設定し、そこに現れた男が、

殺人遊戯の体験を告白するという仕組みである。その殺人方法は、法律にかからぬ完全犯罪である。確率を利用した殺人という点で、谷崎潤一郎の「途上」に似ている。思いつきと言ってしまえばそれまでだが、この頃の乱歩は、つぎからつぎと新しい着想が湧いてきたらしい。

「屋根裏の散歩者」は、乱歩が若い頃、鳥羽造船所に勤めていて、独身寮で会社を休み、押入の上段に布団を敷いて寝ていた時の経験と、大阪の近くの守口に住み、屋根裏に昇ってみた時の経験を一緒にしたものである。屋根裏の散歩という着想に、作者は大きな魅力をかんじたらしい。西洋なら鍵穴とか壁穴から覗くところだが、それが天井の節穴に入れ代ったのである。この作品では、犯人が節穴から覗き見をする情景が、精彩を放っている。この心理は、万人が胸に秘めているものである。発表当時、節穴から毒薬をたらす箇所を大分非難された。その記憶が手伝っているのか、作者は現在でも、この作品は論理的な探偵小説としては不合格かもしれぬと言っている。だが、密室殺人は西洋の例でも、論理の飛躍が多い。「屋根裏の散歩者」は密室の設定という点でも、犯罪発覚の道筋という点でも、むしろ成功の部類であろう。なお、人生に倦怠し、遊戯としての殺人を思いつく犯人の心理もよくとらえている。作者は、この種の人物を繰り返し登場させている。或る時期の作者の心境を反映しているが、同時に、大正末期の知識人の感情の一部分と結びつく。

「人間椅子」は、作者の空想欲を示す一例である。空想の型という点では、「赤い部屋」などに多少似ているように思われる。或る時、作者は籐椅子にもたれ、眼の前のもう一つの椅

子を眺めながら、口のなかで椅子、椅子と繰り返していた。ふと、椅子の形と人間のしゃがんだ形が似ていることに気づき、大きな肘掛椅子なら人間がはいれるのではないかと空想した。この空想をたねに仕上げたのが、この怪奇的な探偵小説である。

「鏡地獄」も、一種の怪奇小説である。その種の作品として、他に類のない傑作である。作者はこの着想を『科学画報』の質疑応答欄からえたと言っている。「球体の内面を全部鏡にして、その中心に物を置いたら、どんな像が写るでしょうか」という質問と、その回答を読み、球体の鏡というものに恐怖心を覚えた。乱歩は子供の頃から、レンズや鏡が好きであった。それを材料に使った作品は、たいてい成功している。「押絵と旅する男」や「湖畔亭事件」などがそれである。私は、この系列ではやはり「鏡地獄」を第一に推したい。球体の鏡のなかにはいって発狂する男という着想も面白いが、初めは好奇からしだいに恐怖へと推移してゆく道筋も、大変自然に描かれている。これは、厳密な意味では探偵小説ではない。科学小説とも言いかねる。むろん、スリラー小説ではない。恐怖を主題にした、純粋に文学的な作品である。もし強いて探偵小説と名づけるならば、余り良い言葉ではないが、芸術的探偵小説と呼ぶべきであろう。探偵小説の枠を最も拡げ、同時に最も芸術に近づけた作品である。この短篇を支えた作者の美学は、初期の短篇群の前提になっていることはむろんだが、後に通俗探偵小説を書いた場合にも、決して放棄していない。

「芋虫」は、作者のグロテスク趣味の極限を代表する佳作である。この作品が発表された当時は、プロレタリア文学の盛んだった頃で、反戦小説として激励されたりした。だが作者は、

そんな意図のもとに書いたのではないと言っている。苦痛と快楽と惨劇を書きたかったのだと言っている。これも探偵小説ではないが、探偵小説の枠を一層拡げたものと言えなくもない。——これは初め、『改造』のために書いたものだが、検閲に通らぬのではないかと心配し、結局『新青年』に廻し、伏字(ふせじ)だらけで発表された。戦争中、乱歩の作品は部分的削除を命じられたが、「芋虫」だけは、発売禁止になった。その点でも特異な作品である。今日の読者は、残酷物語の一篇として読むかもしれない。

繰り返して言えば、ここに収められた九篇は、初期の乱歩を代表する傑作である。一般に探偵小説は、犯人が判(わか)ってしまうと再読に耐えない。だが、乱歩の場合は例外で、普通の小説と同じように、何度読んでも印象が新鮮である。乱歩は、日本の本格探偵小説を確立したばかりでなく、仮に恐怖小説とでも呼ぶべき芸術小説を創り出したのである。その功績は、文学史上に残るものと思われる。

(一九六〇年十二月、文芸評論家)

文字づかいについて

新潮文庫の日本文学の文字表記については、原文を尊重するという見地に立ち、次のように方針を定めた。

一、口語文の作品は、旧仮名づかいで書かれているものは新仮名づかいに改める。
二、文語文の作品は旧仮名づかいのままとする。
三、常用漢字表、人名用漢字別表に掲げられている漢字は、原則として新字体を使用する。
四、年少の読者をも考慮し、難読と思われる漢字や固有名詞・専門語等にはなるべく振仮名をつける。

新潮文庫最新刊

司馬遼太郎著
草原の記
一人のモンゴル女性がたどった苛烈な体験をとおし、20世紀の激動と、その中で変わらぬ営みを続ける遊牧の民の歴史を語り尽くす。

阿刀田高著
リスボアを見た女
鉄砲の製法と引きかえに異国人の許に嫁がされた、種子島の鍛冶の娘はな——彼女は最初にポルトガルの都を訪れた日本人となった。

平岩弓枝著
お夏清十郎
お夏清十郎事件の真相に迫る若き舞踊家清原宗は、亡き父に纏わる秘められた過去を知ることに。姫路を舞台に描く現代の恋の物語。

小松重男著
間男三昧
男子禁制の奥向で、女だけの芝居を上演したお狂言師。彼女たちが奥女中相手に披露したといちはいちの裏芸とは？ 時代短篇9編。

清水義範著
パスティーシュと透明人間
町の回覧板に真理を見いだし、名古屋の消えゆく美味を惜しみ、修行時代の思い出を語る。透明人間願望をもつ著者の爆笑エッセイ集。

野田知佑著
川からの眺め
川を下る、魚を釣る、川で泳ぐ、川に潜る、川原でキャンプをする、要するに川を「旅」するのだ……野田知佑流風来坊エッセイ。

新潮文庫最新刊

景山民夫著
LIFE IS A CARNIVAL
―極楽なんでも相談室―
男と女のあれこれからお金、下ネタまで、バカバカしさ一杯の相談に、景山民夫が答えます。女子大生から落語家まで、相談者多数。

宮脇俊三著
夢の山岳鉄道
上高地、富士山、屋久島――あの山、あのルートに列車を走らせたら？　鉄道の達人が未来の夢列車の姿を架空旅行記の形式で提案。

中村真一郎著
女体幻想
女体への追憶による老作家の魂は、壮年から青年に、少年に幼児にへと時間を遡る。光と影のエロスの世界へ誘う幻想小説10編。

赤瀬川隼著
ダイヤモンドの四季
ダイヤモンドの出来事が写す、様々な哀歓。一投一打の記憶が語り始める、人生への優しいオマージュ。直木賞作家、珠玉の野球小説集。

柴田二郎著
医者のホンネ
開業医としての立場から、これまで誰も言えなかった医療に関する真理を直言。耳が痛くなるほどホンネに貫かれた辛口医療エッセイ。

丸元淑生著
新・丸元淑生のスーパーヘルス
―銀杏とサメと賢い食事―
癌や様々な成人病に驚異的な効力を発揮する銀杏の葉エキスとサメの軟骨。その摂り方と毎日の食事に生かせる最新の知識を紹介。

新潮文庫　え 3-1

昭和三十五年十二月二十四日　発行
平成元年十月十五日　四十八刷改版
平成七年九月三十日　六十六刷

著者　江戸川乱歩（えどがわらんぽ）

発行者　佐藤亮一

発行所　株式会社新潮社

郵便番号　一六二
東京都新宿区矢来町七一
電話　編集部(〇三)三二六六―五四四〇
　　　読者係(〇三)三二六六―五一一一
振替　〇〇一四〇―五―八〇八

価格はカバーに表示してあります。

乱丁・落丁本は、ご面倒ですが小社読者係宛ご送付ください。送料小社負担にてお取替えいたします。

印刷・東洋印刷株式会社　製本・有限会社加藤新栄社

ISBN4-10-114901-1 C0193